D0524997

L'heure du loup

LORI DEVOTI

L'heure du loup

NOCTURNE

éditions Harlequin

Titre original : UNBOUND

Traduction française de YOHAN LEMONNIER-MEHEU

83/85 boulevard Vincent-Auriol 75646 PARIS CEDEX 13
Service Lectrices — Tél. : 01 45 82 47 47
www.harlequin.fr

ISBN 978-2-2808-1869-8 — ISSN 2104-662X

1

C'est la peur qu'il huma en premier : un festival de phéromones qui mit ses sens de cerbère en alerte. Elle était là, quelque part.

Risk Leidolf pivota sur lui-même, scrutant la pénombre du bar à la recherche de sa proie. Il en savait peu sur elle. Lusse lui avait juste dit qu'elle était jeune et jolie. Rien de plus. Mais qu'importaient les talents de la proie après qui il était lancé, elle ne ferait pas le poids; elles ne faisaient jamais le poids.

L'endroit était un kaléidoscope de sons, d'odeurs et d'émotions, un concentré d'agressions sensitives qui auraient facilement décontenancé un chasseur moins expérimenté. Risk, lui, ne serait même pas ralenti par le tumulte environnant. Il inspira à pleins poumons et détailla les odeurs alentour. Bière de piètre qualité et sueur humaine. Il les repoussa dans un coin de son esprit.

Il était à la recherche d'émotions, c'était ça, son moteur.

Une vague de désespoir vint échouer sur le rivage de ses perceptions. Il l'ignora. Le trio infernal — désespoir, culpabilité et chagrin — n'avait aucun intérêt à ses yeux, seules l'adrénaline, la peur, la colère avaient un sens, elles agissaient comme des phares qui l'attiraient de façon irrésistible, éveillant en lui des émotions sans nom qu'il aurait préféré oublier.

Il s'ébroua mentalement, se concentra et tendit l'oreille au murmure des conversations. L'ambiance était plutôt calme pour un bar, mais un courant sous-jacent parcourait l'endroit, une vibration de danger qui résonnait comme un diapason.

Il y avait quelque chose d'anormal dans ce bar, mais ça pourrait attendre, il avait un boulot à accomplir ce soir, il devait retrouver cette femme pour le compte de Lusse, ce qui lui épargnerait une nouvelle période de servitude. Il était prêt à supporter la torture et la cohabitation avec les autres cerbères, mais risquer de perdre le minuscule territoire qu'il était parvenu à se forger, *ça*, ça risquait de le rendre dingue.

Il eut un rire étrange, creux. Comme si un cerbère pouvait sombrer dans la folie... lui dont l'âme était la propriété de sa maîtresse. *Allez, ça suffit, au boulot !*

Il descendit légèrement ses lunettes fumées sur l'arête de son nez. Il y avait là des hommes vieillis avant l'âge et des femmes ternes attablés autour de lui. Il ne leur accorda pas même un regard et s'intéressa à l'arrière-salle, là où les ombres étaient plus profondes. Il sut instinctivement que c'était là qu'il devait chercher.

Sa proie devait être en train de se dissimuler dans l'obscurité, mais les ténèbres ne lui seraient d'aucun secours. L'arrière-salle était déserte, à l'exception d'une table occupée par celle qu'il cherchait. Impossible de la manquer, même avec la description sommaire de Lusse. Elle était jeune, jolie et innocente, comme un ange tombé dans une fosse aux serpents.

Il s'adossa au mur et prit le temps de la détailler. Menue, elle ne devait pas peser plus de cinquante kilos, elle avait de longs cheveux noirs qui lui tombaient sur les épaules et semblait perdue dans ses pensées. Ses doigts jouaient avec un petit verre rempli de liquide ambré, et un morceau de papier était posé sur la table devant elle.

Maintenant qu'il l'avait localisée, il focalisa entièrement son attention sur elle. *Elle était terrorisée.* La puissance de son effroi le prit au dépourvu. Il s'appuya au mur et inspira prudemment, les narines dilatées. Comment un si petit être pouvait-il contenir une telle charge émotionnelle ? Il s'employa à conserver son calme et se tourna de nouveau vers elle. Oui, il y avait de la peur, mais aussi… du chagrin et… Elle saisit le verre entre son pouce et son index et l'avala d'un trait… et de la détermination, conclut-il mentalement.

Elle avait peur, mais pas pour elle-même, c'était une combattante. Il se surprit à éprouver un certain respect pour cette fille. Il secoua bien vite la tête et chassa cette idée.

Qu'elle se défende, ça ne ferait pas grande différence.

Il allait prendre son temps. C'était une proie facile, pourquoi se précipiter ?

La jeune femme repoussa le verre sur le côté de la table et fit signe à la serveuse de lui en apporter un autre. Elle passa une main pâle sur le morceau de papier posé devant elle et le caressa, y cherchant un peu de réconfort, et peut-être des réponses.

La serveuse revint et la proie leva les yeux pour la remercier, mais son regard se posa par hasard sur Risk. Surpris, il fit un pas de côté et s'enfonça parmi les ombres. Pouvait-elle le voir ? Il s'était pourtant montré particulièrement prudent. Peut-être Lusse avait-elle raison, peut-être son humanité devenait-elle trop présente, affaiblissant son côté démoniaque, altérant ses pouvoirs de chasseur. *Un faible est un mort en sursis*, disait Lusse, se plaisant à le rappeler sans cesse.

Il s'intéressa de nouveau à sa proie. Etait-il réellement possible qu'elle puisse le voir ? Le regard de la jeune femme glissa sur lui et il se détendit aussitôt. C'était sans doute une coïncidence, mais tout de même… il hésitait. Il y avait quelque chose de différent chez cette fille, quelque chose qui le faisait hésiter à la livrer à Lusse, la sorcière qui le maintenait de force à son service.

Il secoua la tête. Non, c'était n'importe quoi. Il ferait bien d'en finir rapidement. Il suffisait d'attirer la fille sur le parking, de se transformer et de la ramener à Lusse.

Elle avala son deuxième verre, ramassa le morceau de papier et s'apprêta à se lever. C'était le moment. Il lui chuchoterait quelques mots à l'oreille et ce serait terminé. Une âme de plus et de nouveaux pouvoirs, en paiement de sa dette éternelle.

La fille passa devant lui, assez près pour qu'il sente les notes épicées de son parfum. Il ne fit rien pour l'arrêter. Il remit en place ses lunettes afin de dissimuler ses pupilles qui devaient avoir déjà pris une teinte rouge. Qu'est-ce qui clochait ? Pourquoi hésitait-il ainsi ? Pourquoi se surprenait-il à regretter qu'elle ne l'ait pas effectivement aperçu ? Peut-être parce qu'il aurait alors eu la preuve que toute humanité ne l'avait pas quitté, qu'il n'était pas qu'une bête. Pourquoi envisageait-il soudain de l'épargner, se résignant aux tourments qui l'attendaient s'il n'obéissait pas aux ordres ?

Il jura à voix basse et se focalisa sur la mission. Cette femme n'était rien pour lui, et il lui restait encore une éternité de souffrance à endurer. *Maudite soit Lusse et sa perpétuelle quête d'âmes.*

Il saisit malgré lui la chaîne d'argent qui entourait son

cou et laissa le métal froid lui rappeler qui il était : un objet, un outil au service de Lusse, rien de plus. Il releva le col de son manteau et se mit en quête de sa proie.

L'air froid gifla Kara Shane lorsqu'elle quitta le bar. Les deux whiskys qu'elle avait avalés ne suffisaient pas à la réchauffer, et ils n'atténuaient pas davantage le chagrin d'avoir perdu Kelly.

Cela faisait une semaine jour pour jour que sa sœur avait disparu. La police semblait avoir perdu espoir, mais pas Kara. Kelly était là, quelque part. Kara n'était pas prête à accepter d'autre explication.

Elle serra les pans de son manteau autour d'elle et s'éloigna en ployant face au vent. Avec un peu de chance, l'air froid et sec réussirait là où l'alcool avait échoué et l'aiderait à trouver l'idée qui lui permettrait de localiser sa sœur — une idée plus inspirée que celle qui l'avait menée dans ce bouge ce soir. Une boîte d'allumettes comme indice, quel cliché minable ! Est-ce qu'elle en était vraiment réduite à ça ? A suivre toutes les pistes même les plus tordues ?

Elle avait compris son erreur à la seconde où elle avait franchi la porte du bar. Les gentilles filles qui travaillaient à mi-temps dans un salon de thé n'avaient rien à faire dans un endroit comme l'Antre du Gardien...

Elle s'était pourtant convaincue qu'elle était capable de mener cette enquête. Elle avait même emprunté le long manteau de Kelly, celui qui lui donnait un style à la Matrix, mais ce n'était pas lui qui pouvait lui donner la force et la confiance qui lui manquaient.

Le barman avait accepté à contrecœur de jeter un œil au papier portant la mention DISPARUE en lettres capitales, qu'elle lui avait agité sous le nez. La serveuse lui avait conseillé d'aller plutôt trimballer son petit cul du côté du centre commercial, quant aux clients... elle n'avait pas trouvé le courage de les approcher. Elle n'arrivait à rien, et c'était Kelly qui, quelque part, en payait le prix.

Perdue dans ses pensées, elle mit quelques secondes à se rendre compte qu'elle était suivie. Il n'y avait pas eu le moindre bruit, juste cette sensation insistante que quelque chose était après elle et se rapprochait rapidement. Avec un calme qui ne lui ressemblait pas — et qu'elle devait peut-être au whisky ou au chagrin — elle dégoupilla la bombe lacrymogène que sa sœur gardait toujours dans sa poche intérieure.

Kelly n'aurait pas été effrayée si elle avait été à sa place, alors Kara devait faire de même. Elle glissa son doigt sur le percuteur.

Malgré sa belle résolution, l'alcool, le chagrin et l'adrénaline commençaient à faire mauvais ménage. Pourquoi est-ce que ce fumier ne lui sautait pas simplement dessus, qu'on en finisse ?

Elle n'eut pas à attendre plus d'une poignée de secondes avant de sentir la chaleur d'un souffle sur sa nuque. Elle fit volte-face et la bombe siffla en libérant son gaz. Elle réalisa aussitôt son erreur. Elle avait réagi trop tôt. Son supposé agresseur était encore à cinq bons mètres et il... elle inspira un grand coup... n'était pas humain.

Un chien à l'allure étrange lui rendit son regard scrutateur.

— Rentre chez toi, le chien, lança-t-elle en essayant de chasser cette panique qui la faisait flageoler.

Les chiens. Elle détestait les chiens depuis... non, ce n'était pas le moment de replonger dans les souvenirs.

Elle assura sa prise sur la bombe, le contact du métal froid avait quelque chose de rassurant.

Reste calme, récita-t-elle intérieurement, comme on le lui avait enseigné en cours d'autodéfense. *Ne panique pas. Ne cours pas. Il est très rare qu'un chien attaque sans raison, évite de lui en fournir une.*

Elle emplit ses poumons d'air glacé et se força à rester immobile.

— Je n'ai rien à manger sur moi, murmura-t-elle.

Le chien au poil brun leva la tête, l'étudia et la renifla longuement.

Tu n'as rien à craindre, c'est juste un chien errant. Tu n'es pas sur son territoire, et tu n'es pas menaçante. Il ne va pas tarder à s'en aller, se dit-elle avec force, comme pour faire obéir la réalité à ses désirs.

Elle attendit, son souffle dessinant des volutes cotonneuses devant son visage. Le chien baissa la tête puis la releva, l'étudiant de nouveau.

— Rentre chez toi le chien, chuchota Kara.

L'animal jeta un regard derrière lui puis s'avança dans sa direction. La jeune femme se raidit, le souffle court. Les yeux du chien étaient… rouges. Elle cilla, incapable de croire ce qu'elle venait de voir.

Il fit encore un pas. Puis deux, la tête et la queue basse. Il leva vers elle un regard brillant d'intelligence, presque humain, dans lequel elle lut une détermination qui lui donna le frisson.

Ce n'était pas un chien normal.

Si, se corrigea-t-elle. *Il est parfaitement normal, c'est juste mon imagination qui me joue des tours. Trop de nuits d'insomnies ajoutées à l'inquiétude, ça a dû faire remonter mes vieilles phobies.*

Le chien était à présent dans la lumière d'un lampadaire. Il fixait la jeune femme, la gueule entrouverte, la bave aux lèvres, ses yeux carmin luisant comme les fenêtres d'un immeuble en proie aux flammes. Ce cabot était clairement bizarre, mais elle n'arrivait pas à savoir ce qui clochait chez lui.

Sa main se crispa sur la bombe lacrymogène, sans qu'elle quitte une seule seconde la bête des yeux. *C'est quand on détourne le regard que ces animaux attaquent, c'est bien connu.* En tout cas c'est ce qui était arrivé à Jessie. Le chien était resté là à les regarder, elle et sa copine et Kara avait regardé ailleurs, juste une seconde, le temps de chercher une issue. C'est à ce moment-là que le chien avait bondi… sur Jessie. Elle ne gardait pas de souvenirs précis de ce qui avait suivi. Il y avait eu des cris, mais elle ne savait plus trop si c'étaient ceux de son amie ou les siens.

Les larmes lui montèrent aux yeux. On ne pouvait pas dire que ça l'aidait beaucoup, de remuer ainsi le passé.

Elle cilla rapidement et fit un pas en arrière.

— Gentil, le chien, murmura-t-elle d'une voix qu'elle voulait apaisante, il n'y a rien à manger ici.

Sois forte, pense comme Kelly. Kelly qui l'avait sauvée ce jour-là et qui l'avait toujours aidée à tenir le coup.

Un portable. Elle avait son portable. D'une main, elle l'extirpa de la poche extérieure de son sac à dos, sans cesser de parler.

— Ça te dirait de te faire de nouveaux amis, le chien ? *Des amis avec des laisses en cuir et de jolies cages en acier, bien solides.*

Le molosse retroussa ses babines, découvrant des crocs de presque dix centimètres de long.

Peut-être qu'un ami avec un joli calibre 38 serait

plus approprié, finalement. Kara ouvrit le téléphone d'un coup de pouce et composa le numéro. Elle allait survivre à ça.

Il le fallait.

Un message automatique l'informant qu'elle avait composé le mauvais numéro lui répondit. *Bon sang !*

Elle baissa les yeux sur l'appareil pour réessayer… et comprit aussitôt son erreur. Le chien recula et se tendit comme pour sauter. Kara n'avait nulle part où fuir, aussi leva-t-elle la bombe devant elle en se préparant à l'attaque.

Pour la seconde fois en une soirée, la bombe cracha, mais le chien ne broncha pas et s'élança en grondant.

Le monde sembla ralentir autour d'elle. Elle savait qu'elle aurait dû fuir, mais elle en était incapable. Elle se contenta d'attendre, certaine qu'elle ne survivrait pas à cette attaque.

Le parking continua de tournoyer autour d'elle, et le molosse se rapprocha suffisamment pour qu'elle perçoive la puanteur de son haleine fétide. Un éclat argenté scintilla fugitivement dans l'ombre toute proche, et son assaillant fut projeté au sol.

Kara n'en crut pas ses yeux. Un second chien, au pelage couleur de lune celui-là, se tenait au-dessus de la bête qui l'avait menacée. Elle chassa les mèches qui lui étaient tombées sur le visage ; il lui avait sauvé la vie.

Le nouvel arrivant se tourna dans sa direction et elle vit ses pupilles luire d'un éclat rouge étincelant.

La terreur la saisit.

Le second chien réagit aussitôt. Il baissa la tête et tenta de saisir le cou de son adversaire dans sa gueule. Celui-ci planta ses pattes arrière dans le ventre de son assaillant afin de le soulever. Aucun des deux n'était décidé à se laisser faire et bientôt, ils ne formèrent plus qu'une masse informe de pelages mêlés. Les mains moites, Kara composa fébrilement le numéro de la police.

Les chiens roulèrent sur le sol dans sa direction, leurs crocs scintillants cherchant à s'attraper l'un l'autre par le cou. Le molosse brun parvint à se décaler légèrement sur le côté et referma sa gueule sur l'encolure du chien argenté.

Le sang coula sur le poil brillant, teintant le pelage des deux animaux.

Kara était paralysée. Elle s'attendit à entendre la bête crier de douleur, à percevoir le craquement de ses os. Comment avait-elle pu une fois de plus se mettre dans un tel bourbier ? Le chien argenté roula sur le dos, emportant l'autre dans sa chute.

Voilà ce qui allait se passer. La bête à la fourrure brune allait tuer le second puis il s'occuperait de Kara. Elle revit en esprit Jessie, allongée sur le sol. Elles ne s'étaient pas rendu compte, en se glissant sous la clôture, qu'elles n'étaient pas seules dans ce jardin. Elles n'avaient même pas vu le chien arriver. Il s'était jeté sur Jessie et l'avait plaquée au sol comme une poupée désarticulée. Puis il lui avait ouvert la gorge de ses crocs pointus, déchiquetant la chair et les os d'un seul coup de gueule rageur. Et Kara n'avait rien fait.

Rien.

Elle était restée là à regarder le chien balayer le jardin du regard, les pattes baignant dans le sang de son amie. Enfin il s'était tourné vers elle et elle avait su que son tour était venu, que bientôt son sang se mêlerait à l'humus. Il y avait alors eu un cri — sans doute était-ce elle qui l'avait poussé.

Kelly était apparue de nulle part, une barre de fer à

la main. Kara avait essayé de la dissuader d'approcher, mais sa voix l'avait trahie. Kelly avait attrapé Kara et s'était interposée entre elle et le chien. C'était tout ce dont Kara se souvenait.

On lui avait raconté plus tard qu'elle s'était évanouie à ce moment-là. Kelly avait, paraît-il, effrayé le cabot avant de ramper sous la clôture, en compagnie de sa sœur.

Personne ne sut ce qui était arrivé au chien, ni pourquoi il avait eu peur de Kelly, mais Kara savait une chose : sa sœur lui avait sauvé la vie alors que la terreur l'avait paralysée au point de ne pas être capable de mettre Kelly en garde.

Sans elle, elle n'aurait jamais survécu.

Un grognement inquiétant la ramena brutalement dans le présent. Le chien argenté venait de se remettre debout et son opposant était encore accroché à son cou… Sans doute plus pour longtemps.

Il se dégagea d'un mouvement brusque et les deux animaux se jaugèrent, haletants. Des poils argentés parsemaient encore la gueule du chien brun. Ils baissèrent la tête dans un même élan et s'élancèrent l'un vers l'autre, se percutant dans un entrelacs de pelages et de crocs, toujours plus près de Kara ; le molosse argenté prenait manifestement le dessus.

Kara voulut s'écarter de la mêlée, mais elle dérapa sur le pavé humide — de sang ou de neige, elle n'aurait su le dire. Son portable lui échappa et elle le vit glisser sur le sol avec un pincement au cœur. Kelly n'était pas là pour la sauver et son seul espoir d'appeler les secours venait de disparaître.

Le chien argenté projeta son adversaire contre le mur du bar, tout près de Kara. Il le plaqua au sol dans un ultime feulement, l'attrapa par le cou et faisant pivoter son corps massif, le propulsa vers le parking. L'animal atterrit dans une zone sombre. Le chien au pelage de lune se tint droit sur ses pattes, puis, jugeant certainement qu'il avait remporté le combat, il tourna son regard brillant vers Kara. Le sang et la salive mêlés gouttaient de sa gueule entrouverte.

Kara balaya désespérément les environs du regard à la recherche d'une issue. Le chien argenté se tenait entre elle et la rue où elle avait garé sa Honda. Elle était prisonnière, cernée par la bête, les deux bâtiments de briques et une clôture barbelée haute comme deux hommes. Son téléphone était à des mètres d'elle. Elle avait eu le temps de composer le numéro, peut-être un opérateur de la police était-il en train d'écouter?

— C'est l'Antre du Gardien, ici. Tu savais ça, sale bête? s'exclama-t-elle bien fort, sa voix apeurée grimpant malgré elle dans les aigus. C'est un bar mal famé, près du lac.

Elle sentit la sueur lui glisser le long de l'échine. Son cœur battait si fort que le chien ne devait entendre que ça.

Les halètements de la bête diminuèrent et bientôt le silence les avala. Pas même un client éméché titubant jusqu'à sa voiture, pas de sirène en réponse à son appel, pas de Kelly volant à son aide. Rien que Kara, livrée à elle-même.

Elle observa la bête immense face à elle. Bon sang! Elle ne pouvait tout de même pas mourir maintenant. Elle avait survécu à trop d'horreurs. Et puis il fallait qu'elle retrouve Kelly. Si elle parvenait à survivre à ça, alors tout serait possible. Il y avait peut-être encore de l'espoir.

Le chien se redressa, comme pensif.

— Ce n'est vraiment pas un endroit pour une femme seule ! répéta-t-elle un peu plus fort, mais comment deviner qu'il y a des animaux errants dangereux dans le voisinage ?

L'animal plissa le nez. Elle aurait juré que c'était une sorte de sourire. Elle était en train de perdre les pédales. Non, il fallait qu'elle se reprenne, ce n'était pas le moment de se laisser aller. Elle devait agir, d'une façon ou d'une autre. Elle se rapprocha insensiblement du téléphone. La voyant faire, le chien se rapprocha, lui aussi.

Kara s'immobilisa. Elle avait toujours la bombe lacrymogène en main. Est-ce que cela serait suffisant pour arrêter cent kilos de muscles et de hargne ? Elle en doutait, mais avait-elle vraiment le choix ?

Le chien avança encore. Kara posa son index sur le percuteur, sa main tremblant si fort qu'elle faillit lâcher l'objet. Elle prit le corps de la bombe au creux de son autre paume et ne pensa plus qu'à sauver sa vie. Il fallait attendre encore un peu, il n'était pas assez près. Un seul essai. Appuyer et s'enfuir. C'était le plan.

Quelque chose bougea derrière le chien. C'était l'autre animal qui se remettait debout. Kara se mordit la lèvre. S'ils se battaient de nouveau, elle aurait une chance de s'enfuir.

— On dirait que ton pote s'est réveillé, p'tit gars ! annonça-t-elle en désignant d'un signe de tête le chien blessé qui semblait s'ébrouer pour recouvrer ses esprits.

A sa grande surprise, le molosse argenté sembla comprendre ce qu'elle venait de dire et jeta un coup d'œil par-dessus son épaule. Kara fléchit légèrement sur ses jambes, prête à s'élancer. Le chien brun les scruta tous deux. Kara retint son souffle, sentant l'espoir renaître, et dans un scintillement, comme la chaleur s'élevant de l'asphalte en plein été… le chien brun disparut.

Kara manqua une respiration. Cette fois, elle était *vraiment* en train de perdre les pédales. Folle à lier, bonne à enfermer.

Le chien argenté se tourna vers elle et sembla sourire. Sans la quitter du regard, il se rapprocha. Une vague de haine submergea la jeune femme. Un chien avait tué son amie, elle n'allait certainement pas se laisser dévorer à son tour sans rien tenter. Elle ne comptait pas lui faciliter la tâche, pas cette fois.

Elle attendit qu'il soit tout près et appuya. Le chien cilla à peine. Elle jeta la bombe lacrymogène au loin et s'élança sur le côté. Le chien lui coupa la route, la fit trébucher et la plaqua au sol, comme il l'avait fait avec la bête au pelage brun. Si elle avait été croyante, ç'aurait été le moment idéal pour prier. Au lieu de ça, elle fixa l'animal au fond des yeux, faisant de son mieux pour ignorer leur éclat démoniaque. Mais que faisait la police ?

Dans son délire, elle entendit une voix répondre dans sa tête : *Personne ne viendra. Pas à temps en tout cas. Détends-toi, si tu te défends, ça ne fera qu'empirer les choses.*

Le chien géant lui demandait de se détendre. Quelle ironie ! Un rire hystérique lui monta dans la gorge, cette gorge qu'il allait broyer dans un instant. Le rire éclata, incongru au milieu de ses larmes.

Bon sang, que c'était embarrassant ! Elle allait mourir et elle ne trouvait rien de mieux à faire que de rire. Kelly ne riait jamais, elle.

Le chien se pencha. Il posa sa truffe sur sa bouche

et souffla. Elle bascula la tête sur le côté, mais il n'y avait aucun moyen de lui échapper. Son souffle chaud lui emplit la gorge.

Oh, Kelly, je suis désolée.

Tout devint noir.

2

Lusse se tenait face à la baie vitrée de sa demeure construite à flanc de montagne. Même la sinistre sérénité du panorama ne parvenait pas à l'apaiser aujourd'hui.

Risk aura déjà dû être de retour.

Sa mission était simple — la fille n'avait même pas conscience de ses propres pouvoirs. A peine plus compliqué que d'écraser un chiot nouveau-né sous sa botte. Oui, une mission simple, mais très rentable.

Bien sûr Lusse n'avait pas l'intention de réellement *écraser* la fille sous sa botte, du moins pas tant qu'elle n'aurait pas aspiré jusqu'à la dernière once de pouvoir de son corps. En revanche, elle voulait s'assurer que Risk lui obéirait sans sourciller.

Il était si prometteur… Sans doute le plus puissant des mâles dominants que sa meute de cerbères ait jamais connu. Malheureusement son reste d'humanité était son talon d'Achille. Lusse s'était montrée patiente, elle avait attendu pendant près de cinq siècles qu'il perde cette sale habitude de ressentir des émotions. Mais à une exception près, quelques années auparavant, il avait toujours refusé d'embrasser totalement sa nature démoniaque. Cet écart par rapport à son code de conduite personnel avait même renforcé sa détermination. Elle avait fini par se rendre à l'évidence : il avait besoin qu'on le guide et qu'on l'aide à franchir le pas.

Elle soupira. Ah, les cerbères… La domination qu'elle exerçait sur eux était son plus grand pouvoir, mais également son plus lourd fardeau. Cela dit, Yggdrasil savait à quel point elle y trouvait son compte.

Un frisson de plaisir la parcourut tandis qu'elle tendait le doigt vers les menottes d'argent qui pendaient du plafond.

Risk avait passé six mois confiné dans le chenil avec les autres, astreint à un entraînement quotidien. Ses lèvres se retroussèrent en un sourire cruel. Puis elle l'avait menacé de lui reprendre ce misérable lopin de terre dont il estimait qu'il lui revenait de droit. Il n'avait pas fallu plus que cela pour pouvoir le tenir en laisse. Elle commençait pourtant à s'interroger.

— Bader, dit-elle sans pousser sa voix.

Même si son serviteur se trouvait à l'autre bout de la demeure, il l'entendrait. Quelques minutes plus tard, le vieil homme pénétra dans la pièce.

— Des nouvelles de Risk ? s'enquit-elle sur le ton de la conversation malgré la tension qui l'habitait.

Mais avant même qu'il ait eu le temps d'ouvrir la bouche elle s'écria :

— Non, ne réponds pas ! Evidemment que tu n'as aucune nouvelle. Dans le cas contraire, tu serais venu me trouver, n'est-ce pas ?

Elle le regarda fixement en levant un sourcil parfaitement dessiné.

Il acquiesça en silence.

Risk n'était pas là, et la fille non plus. Fort heureusement, elle avait prévu cette éventualité.

— As-tu suivi mes consignes ?

Bader ouvrit de grands yeux interrogateurs.

— As-tu envoyé Venge ?

Nouveau hochement de tête.

Lusse se détendit dans le confort moelleux de son siège préféré, ses jambes gracieusement croisées. Encore un plan parfaitement exécuté.

Kara tendit la jambe, fit jouer ses orteils et plia le pied. Quelque chose de doux lui chatouillait l'intérieur de la cuisse. Elle roula sur le ventre et enfouit son visage dans la fourrure.

Doux? Fourrure?

Elle s'assit précipitamment.

La fourrure blanche qui la recouvrait glissa sur ses genoux, révélant sa poitrine nue — *sa poitrine nue*? Elle baissa des yeux ahuris vers les globes pâles de ses seins, avant de finalement réagir et de remonter le vêtement sous son menton.

Où se trouvait-elle?

L'endroit était sombre et la seule lumière provenait de l'âtre d'une monumentale cheminée en pierre. Le craquement du brasier et l'odeur puissante du bois étaient tout sauf rassurants. Elle se mit à genoux, la fourrure toujours serrée contre elle. Il y avait non loin des chaises taillées dans des troncs et un lit. Elle aperçut au-delà un bar américain et ce qui ressemblait à une cuisine.

Pas de chien et pas âme qui vive… pour le moment.

Les molosses… Le souvenir des pupilles rouges et des crocs luisants de bave la firent frissonner. Elle ignorait si tout cela était réel ou si elle avait perdu momentanément l'esprit. Mais pour l'heure, elle s'en moquait.

Le souffle court, elle examina la fourrure qui lui couvrait la poitrine. Elle était nue dans une maison étrangère. Qui l'avait amenée ici? Que s'était-il vraiment passé la nuit précédente ? Elle avait du mal à mettre ses idées au clair, les doigts serrés sur la fourrure.

Elle resserra le vêtement improvisé encore plus près de sa peau et ferma les yeux. *Respire lentement… Voilà. Inspire, expire. Ecoute le bruit des flammes. Inspire, expire.* Enfin elle rouvrit les yeux.

Elle était parvenue à se calmer et son souffle était redevenu normal. Il fallait qu'elle sorte d'ici, qu'elle rentre chez elle. Là, elle pourrait sombrer sereinement dans la folie.

Un rapide coup d'œil circulaire lui apprit qu'aucun de ses vêtements ne se trouvait à proximité. Il y avait une porte fermée au-delà du lit, mais elle n'avait pas l'intention de l'ouvrir et de risquer d'alerter la personne qui l'avait amenée en ces lieux.

Son cœur se mit à battre plus vite à l'idée de ce qui pouvait se trouver derrière cette porte. Elle plaqua ses paumes sur le plancher froid et se força à réfléchir posément.

Rester calme. Il fallait rester calme. Les yeux fermés, elle s'obligea à respirer calmement et visualisa son cœur afin d'en ralentir les battements. Son corps se détendit lentement. Apaisée, elle ouvrit les yeux et regarda ses mains. Pas de tremblements. Elle inspira. Respiration normale.

Bien.

Elle commençait à maîtriser le truc. Peut-être même ne paniquerait-elle pas la prochaine fois. Rassurée, elle se redressa sans même y penser. Oui, elle était capable de s'en sortir. Emplie d'une confiance inédite, elle fit le tour de la pièce du regard une nouvelle fois. Sa situation ne s'était pas améliorée. Il n'y avait toujours pas le moindre vêtement en vue et la porte était toujours fermée sur

Dieu savait quoi… Une chose était certaine, elle n'allait pas rester assise là à attendre que ça se passe.

Nue ou pas, elle devait partir.

Elle coinça la fourrure sous son aisselle et s'approcha de la porte. C'était un vieux modèle de bois massif, muni d'une grosse serrure à l'ancienne. Elle fit coulisser le montant de métal et tourna la poignée.

Rien, la porte ne bougea pas. Une chaleur désagréable se mit à courir le long de ses veines. *Non. Tu ne recommences pas à paniquer. Essaie encore.*

Elle tourna et tira plus fort. Toujours rien.

Elle poussa un juron, attrapa la poignée des deux mains et pesa de toute sa faible personne pour faire bouger la porte récalcitrante.

— Tu n'as pas trop froid ? s'enquit une voix d'homme derrière elle.

Kara se figea, le métal de la poignée douloureusement incrusté dans sa main. Elle se mordit la lèvre, immobile. Qui était-il ? Est-ce qu'il avait l'intention de la violer ? De la tuer ? Allait-il l'épargner ?

— Tiens, ça devrait t'aider à te réchauffer.

Son jean et son T-shirt atterrirent près d'elle.

Elle examina ses vêtements d'un coup d'œil. C'était plutôt bon signe, non ? Est-ce qu'un violeur lui aurait rendu son jean ? A moins qu'il ne veuille lui faire baisser sa garde, ou qu'il cherche à gagner sa confiance. Elle tira une nouvelle fois sur la porte, plus discrètement.

— La sortie n'est pas par là, dit la voix d'un ton amusé.

Kara cessa de s'escrimer contre le montant. Bien sûr que ce n'était pas par là, mais qu'était-elle censée faire ? Oh mais oui ! Elle aurait dû grimper dans le conduit de la cheminée ou se glisser dans un trou de souris. Pourquoi n'y avait-elle pas pensé !

L'hystérie de la nuit précédente menaçait de nouveau de l'engloutir.

Ses pieds effleurèrent le T-shirt. Elle baissa les yeux et aperçut le papier plié portant la mention « disparue » qui émergeait de sa poche de jean.

Kelly. Kara l'avait laissée tomber une semaine entière. Elle n'avait rien fait pour la retrouver, se fiant aux compétences de la police, et voilà qu'à peine une journée après avoir trouvé un début de piste, elle se retrouvait dans un pétrin indescriptible. Sa peur se mua en rage, bouillonna, pour finalement s'évaporer en un nuage de colère pure.

Elle se baissa, ramassa ses vêtements, les enfila. Une fois vêtue, elle se tourna vers son ravisseur.

Il était immense, une vraie armoire à glace. Il avait des cheveux blonds presque blancs, et des yeux sombres dont elle ne parvenait pas à déterminer la couleur exacte. Une lourde chaîne d'argent pendait à son cou et il avait une profonde blessure au niveau de la gorge. Elle détourna son regard de la plaie. Sa stature seule le rendait effrayant et elle évita de s'imaginer quel combat titanesque il avait dû livrer pour recevoir une telle blessure : elle ne voulait pas sombrer une fois encore dans la panique.

Elle déglutit péniblement et se força à le regarder de nouveau, hypnotisée malgré elle par le mouvement ample de son torse nu à chaque respiration. Il croisa les bras sur sa poitrine, avec ce qui ressemblait à un rire rentré.

Kara eut brusquement la gorge sèche en se rappelant que cet homme était une menace potentielle.

— J'aimerais partir, annonça-t-elle en le fixant droit dans les yeux.

— Vraiment?

Il se rapprocha sans cesser de la regarder.

Elle serra les poings et s'exhorta à conserver son calme.

— Qui êtes-vous?

Il s'arrêta à quelques centimètres d'elle et la détailla du regard. D'abord le visage, puis le cou, jusqu'à ses pieds nus.

Le plancher sembla se réchauffer sous ses orteils.

C'est juste ton imagination. Ne fais pas attention.

— Comment suis-je arrivée ici? demanda-t-elle encore, d'une voix plus forte qu'elle ne l'aurait souhaitée.

Le regard de l'homme revint vers son visage et Kara sentit le sang courir un peu plus vite le long de ses veines. Elle se sentait nue, comme s'il pouvait lire en elle sans entraves, mais elle résista à la tentation de plaquer son dos contre la porte.

— Qui êtes-vous? répéta-t-elle en parvenant à rendre sa voix presque menaçante.

Il fit un nouveau pas en avant et, d'un geste volontairement lent, vint enrouler l'une des boucles brunes de Kara autour de son doigt.

— Toi d'abord. Qui es-tu et pourquoi Lusse tient-elle tant à toi?

Risk dévisageait la jeune fille menue qui se tenait face à lui, et dont les émotions étaient aussi palpables ce matin qu'elles l'étaient la veille au soir : de la peur et de la colère, sans aucune limite définie entre les deux.

Il aurait voulu s'approcher encore plus près et s'enivrer de son parfum entêtant.

— Pourquoi est-ce que Lusse te veut ? répéta-t-il autant pour elle que pour lui-même.

Elle cilla, interdite.

Risk enroula davantage son doigt dans ses boucles, utilisant ce contact intime pour stimuler ses sens, cherchant ce qui avait pu attirer Lusse à ce point.

Un coup de poing dans le ventre rompit sa concentration. Deux yeux noirs emplis de colère le fixaient avec rage. La discipline qu'il s'imposait pour ne pas laisser libre cours à ses instincts primaires lui permit de rester de glace, même si son sang se mit à battre plus fort à ses tempes.

— Qui êtes-vous ? répéta-t-elle avec fureur.

Elle était sur le point de basculer dans une hystérie meurtrière. Risk, n'y tenant plus, enfouit son nez dans la douceur de ses cheveux. Frustration, peur, colère, hargne… tout était là. Il plaqua ses paumes contre la porte de bois, emprisonnant la jeune femme. Il y avait aussi autre chose… quelque chose d'à peine perceptible. Il ignora la pulsion de désir qui commençait à monter en lui et fixa Kara dans les yeux. Il y discerna les reflets pourpres caractéristiques d'un pouvoir dont elle n'avait sans doute même pas conscience.

Il baignait littéralement dans l'océan d'émotions qui émanaient de la jeune femme et renâclait à l'idée de s'éloigner d'elle.

— Qu'est-ce que tu es, au juste ? lui demanda-t-il dans un chuchotement.

Elle le fixa sans répondre en se mordant la lèvre. Nouvel éclair violet au fond de ses pupilles.

Quoi qu'elle cache, c'était en train de gagner en puissance. Comme la plupart des pouvoirs, celui-ci devait être alimenté par les émotions, et étant donné la force de ce qu'elle ressentait, elle possédait une puissance incroyable.

Il ne fallait pas qu'il aille plus loin. Il devait mener cette fille auprès de Lusse et laisser la sorcière faire d'elle ce que bon lui semblerait. Pourtant… De nouveau cette lueur pourpre… elle n'était pas comme les autres proies de Lusse. Le pouvoir qu'elle avait en elle était — comment dire ? — pur. Il laissa échapper un rire presque inaudible. Un pouvoir pur, c'était impossible, c'était un mythe. Le pouvoir avait la particularité de corrompre, cela avait beau être un cliché, ça n'en était pas moins vrai.

Aucun être humain ne pouvait atteindre l'âge adulte en possédant un quelconque ascendant sur les autres, sans s'en servir pour son propre intérêt, blessant en général ses proches au passage. Ensuite, une fois que le pouvoir s'était pleinement révélé, on y revenait, encore et encore, on l'utilisait tant et plus, jusqu'à ce que plus rien d'autre n'ait d'importance.

Il ôta une main de la porte et saisit la chaîne d'argent autour de son cou. L'entrave qu'il portait faisait de lui la preuve vivante de cette simple vérité. La soif de pouvoir de Lusse avait fait de lui un esclave depuis plus de cinq cents ans. Cinq cents années en enfer.

Il se détourna de la jeune femme, les poings serrés. Le pouvoir. Peut-être cette fille était-elle aussi une sorcière. Lusse appréciait tout particulièrement de détruire ses consœurs. Lui-même avait pris un plaisir certain à les annihiler, en s'imaginant chaque fois que c'était Lusse qui rendait son dernier souffle entre ses mains.

Il ferait bien de tuer la fille tout de suite. Pourquoi attendre ? Pourquoi laisser à Lusse l'occasion de la vider de ses forces ?

Il suffisait de la supprimer avant que son pouvoir ne se révèle. C'était si simple.

Un grondement sourd lui monta dans la gorge et il se dirigea vers la porte, vers sa proie.

Lusse se détourna de la baie vitrée, ses longs cheveux blonds flottant derrière elle.

— Où est-il?

Bader approcha sans bruit, les yeux rivés au sol.

— Venge est au foyer. Il est revenu couvert de sang. J'ai pensé que vous ne souhaiteriez pas qu'il vienne tacher votre tapis, marmonna-t-il.

— Non, je ne parlais pas du petit chiot. Je parlais de Risk. Où est Risk?

Les yeux de Bader semblèrent glisser d'eux-mêmes en direction de la porte à double battant qui s'ouvrait sur le couloir.

— Où est-il? répéta-t-elle.

— Nous l'ignorons, répondit Bader en se raidissant dans l'attente d'un coup bien mérité.

Comme si elle avait du temps à perdre à frapper cet incapable…

— Je croyais t'avoir entendu dire que Venge l'avait retrouvé. Il ne l'a donc pas ramené?

Bader secoua négativement sa trop grosse tête. Une seule fois.

Lusse se tourna vers son miroir, s'y mira et passa son index sur ses sourcils.

— Et la fille?

Nouvelle dénégation.

— Parle, utilise des mots, ordonna-t-elle au reflet de Bader. A-t-elle survécu au combat?

— Je n'en suis pas certain. Mais il n'y avait aucune trace de son sang sur Venge… ni celui de Risk, ajouta-t-il avec hésitation.

Rien de surprenant à cela. Lusse ne s'attendait pas à ce que Venge ait le dessus sur Risk. En réalité, elle avait même espéré qu'en voyant débarquer un adversaire sur ce qu'il estimait être son territoire, la colère emporterait le cerbère et qu'il laisserait enfin parler sa nature démoniaque. Elle espérait même ne récupérer de son appât qu'une touffe de poils bruns tachés de sang.

Elle s'adossa à sa coiffeuse, le marbre froid pressant contre son échine. Risk pouvait potentiellement devenir incontrôlable, mais son humanité, si elle agaçait Lusse, limitait également les pouvoirs de son serviteur.

Elle appliqua ses paumes fraîches sur son visage.

— Dois-je le rappeler ? demanda Bader en saisissant la corne suspendue à sa ceinture par une sangle de cuir.

Le regard glissa de la corne jusqu'au visage inexpressif de Bader.

— Pas encore. J'aimerais d'abord parler à Venge. Je dois savoir ce qui retient Risk avant de lui ordonner de revenir.

Bader acquiesça vivement et quitta la pièce.

Lusse retourna vers sa psyché et étudia son reflet. Rien ne s'était déroulé comme elle l'avait prévu. Elle ouvrit le tiroir de la coiffeuse, saisit le petit étui sombre et traça une ligne rouge sur ses lèvres. Risk aurait déjà dû être de retour avec la fille fraîchement capturée, une innocente.

Elle avait organisé tout cela pour mettre Risk à l'épreuve et il avait échoué.

Elle avait envoyé Venge pour s'assurer que tout fonctionnait correctement, mais même cette partie du plan avait échoué.

Non seulement Risk n'était pas revenu en compagnie de la jeune sorcière, mais il avait permis à un autre cerbère de pénétrer sur son territoire sans le tuer. Inimaginable.

Elle jeta le tube de rouge à lèvres qui roula sur le marbre avant de tomber sur le tapis blanc.

Risk aurait dû être là, avec elle, en pleine possession de sa nature démoniaque, fin prêt à diriger les hordes de Lusse. Avec lui à leur tête, elle deviendrait toute-puissante.

Lusse agrippa le rebord de la coiffeuse et fixa son reflet. Elle avait passé des mois entiers à l'entraîner, à le modeler. Elle refusait que ce soit en pure perte. Comment était-ce possible, elle était pourtant certaine qu'il était prêt. Mais quelque chose le retenait et lorsqu'elle saurait de quoi il s'agissait, elle détruirait cette chose, ainsi que la moindre once d'humanité dans l'âme de son protégé.

L'odeur du sang la fit revenir à la réalité.

Le garçon claudiqua dans la pièce, à peine plus rapidement que le vieux Bader qui lui emboîtait le pas, les yeux baissés.

— Je vois ce que tu voulais dire, dit-elle avec un sourire en contemplant avec admiration le travail de Risk.

Le cou du jeune homme qui se tenait devant elle était poisseux de sang.

— Pas de vrais dégâts ? s'enquit-elle en s'avançant, laissant courir son doigt sur une entaille particulièrement profonde.

Bader secoua légèrement la tête.

— Vous savez, les cerbères…, commença-t-il.

— … sont presque impossibles à tuer, oui, je sais.

Elle croisa les bras sur sa poitrine et étudia le visage du nouvel arrivant. Il était vraiment beau, avec ses grands yeux bleus et ses cheveux bruns. Son corps aussi la laissait rêveuse : les épaules larges, des longues jambes musclées. Il n'arrivait pourtant pas à la cheville de Risk.

— Que s'est-il passé ? demanda-t-elle à Venge.

— Il a gagné, lui apprit-il en soutenant son regard, le visage dénué de toute émotion.

Elle se tapota l'épaule du bout du doigt. Les cerbères étaient difficiles à mater, mais elle prenait un certain plaisir à les faire plier. Elle se dirigea vers Bader et lui fit signe de lui apporter son jouet favori.

Bader alla soulever le couvercle du coffre cerclé d'argent dans lequel elle conservait quelques petits trésors qui lui permettaient de temps à autre d'illuminer les jours sombres. Il sembla chercher quelque chose sans le trouver.

— Le fouet, ordonna-t-elle. Le fouet spécial, précisa-t-elle en se tournant vers Venge.

Un frisson parcourut l'échine de Bader.

— Tout de suite, insista-t-elle en le transperçant littéralement du regard.

Il commençait vraiment à devenir fatigant celui-là. Heureusement pour lui, elle avait d'autres chats à fouetter aujourd'hui.

Bader revint vers elle en maugréant et en dodelinant de la tête, le chat à neuf queues posé sur ses mains jointes, paumes vers le haut.

Enfin. Elle lui prit le jouet en cuir des mains.

— Reprenons, Venge. Répète-moi ce qui s'est passé ?

— Il a gagné, répéta-t-il sans ciller.

Maudite fierté démoniaque. Ils ne retenaient vraiment

jamais la leçon. Elle fit claquer le fouet dont les extrémités scintillèrent d'un éclat doré en se rencontrant.

Venge écarquilla légèrement les yeux. Juste ce qu'il fallait.

Il savait ce qui l'attendait.

Un frémissement de plaisir saisit Lusse.

— Il n'y a aucune honte à déclarer forfait. Ton père l'a fait plus souvent qu'à son tour.

C'était un mensonge, évidemment.

Elle se rapprocha. Le fouet semblait lui chuchoter des mots doux, la suppliant de lui laisser mordre la chair.

— Est-ce que tu le protèges ? murmura-t-elle, ses lèvres effleurant l'oreille du jeune homme, avant de glisser sa langue à l'intérieur. Il n'en ferait pas autant pour toi, tu le sais, n'est-ce pas ?

Les yeux de Venge scintillèrent, mais il ne répondit pas.

— Ah, pourquoi faut-il toujours qu'on en revienne finalement à ça !

Elle leva le bras avec un plaisir évident, saisie par un afflux soudain d'adrénaline. Douleur, douce douleur, comme la vie serait terne sans elle...

Epuisée, Lusse s'affala dans sa chaise longue. Elle avait des courbatures aux bras et aux épaules, mais comme cet engourdissement était doux !

D'un sourire, elle autorisa une de ses dames de compagnie à masser ses muscles endoloris en de lents et profonds mouvements.

Venge avait fait preuve de la même force de caractère que son père avant lui. C'était très satisfaisant, certes, mais cela posait néanmoins un problème ; elle n'en savait guère plus au sujet de son protégé.

Les heures avaient passé. Quelque chose lui était arrivé. Etait-ce le plan qui avait échoué ou Risk qui avait failli ? Une ride soucieuse se forma entre ses sourcils.

Lusse était intimement persuadée que Risk était fin prêt et cela la mettait d'autant plus en colère contre elle-même. Pour autant elle ne voyait guère qu'une poignée de dieux — et elle-même — capables de réellement menacer Risk.

— Bader ! aboya-t-elle.

Le serviteur agenouillé, une serpillière couverte de sang à la main, leva les yeux vers sa maîtresse.

— Laisse ça, un autre s'en chargera, lui ordonna-t-elle d'un large mouvement de la main.

Le vieil homme s'échinait à nettoyer la moindre goutte de sang sitôt qu'elle avait touché le sol, alors même que Lusse en appréciait l'odeur.

— Fais sonner la corne, il est temps de ramener Risk à la maison.

Bader souffla brièvement dans l'instrument en scrutant les environs, avant de quitter précipitamment la pièce.

Les poings serrés, Kara regarda son ravisseur reculer malgré lui, les doigts crispés sur la chaîne en argent qui ceignait son cou, comme si une main invisible le tirait en arrière. Il avait le dos arqué et semblait en proie à un puissant conflit intérieur.

C'était le moment idéal pour fuir, mais par où ? Elle s'imposa de ne pas bouger et de respirer lentement tandis qu'elle étudiait la pièce du regard. Il y avait une lucarne au-dessus de l'évier de la cuisine, mais à moins d'apprendre à voler dans les dix secondes, elle ne l'atteindrait jamais avant qu'il ne comprenne ce qu'elle avait en tête.

Son portable! Où était-il? Pas dans ses vêtements, c'était certain, elle aurait senti son poids en s'habillant. Il devait probablement toujours se trouver sur le bitume devant l'Antre du Gardien. Elle releva la tête et la laissa heurter doucement le bois de la porte.

A quoi bon dominer sa peur, si ça ne l'aidait pas un peu à maîtriser les événements?

Une vague de chaleur soudaine envahit la jeune femme. Elle releva les yeux et vit son ravisseur approcher. Il était sorti vainqueur du combat qu'il venait de mener — quel qu'il soit — et il venait de nouveau dans sa direction.

Chaque muscle de son corps était tendu à se rompre. On aurait dit un animal prêt à bondir et sa jugulaire pulsait, visible à l'œil nu, à un rythme effroyable. Sa blessure au cou elle-même semblait plus sévère. Il avait le regard rivé sur Kara, comme guettant le moindre mouvement.

Nulle part où fuir. Aucun moyen de se défendre. Que lui restait-il? Elle pouvait lui parler. Ce n'était pas grand-chose, mais elle n'avait guère que ça en réserve et elle était plutôt douée dans ce domaine.

Elle plongea son regard dans celui de l'homme en se mordant les lèvres, et elle vit ses pupilles scintiller.

3

Kara plaqua ses paumes contre la porte derrière elle, incapable de détacher son regard de celui de l'homme qui lui faisait face. Il était absolument immobile, ses pupilles, à peine visibles dans la pénombre ambiante, étaient comme deux orbes ternes noyés dans un océan de lave solidifiée. Elle comprit d'instinct que lorsque ces orbes disparaîtraient totalement, tout espoir de survie s'évanouirait dans l'instant.

Etait-il drogué, ou atteint d'un virus? Quelle importance? Elle devait le ramener des profondeurs obscures vers lesquelles il semblait en train de sombrer irrémédiablement.

— Est-ce que ça va? s'entendit-elle demander, avec la sensation étrange d'assister à la scène de l'extérieur, vous voulez que j'appelle quelqu'un?

Les muscles toujours tendus, l'homme fit un pas en avant.

— Qui es-tu? lui demanda-t-il en bougeant à peine les lèvres.

Kara déglutit. Un nom. Il voulait un nom. C'était une question simple, rien d'extraordinaire. Elle était capable d'y répondre. Elle plaqua un peu plus ses paumes contre le bois de la porte, rassurée par ce contact rugueux.

— Kara. Kara Shane.

Sa main vint effleurer la joue de la jeune femme.

— Qu'es-tu, au juste ? lui demanda-t-il.

Ce simple geste lui procura un frisson qui se communiqua à tout son corps. Elle réprima volontairement les sensations contradictoires que cela lui procurait pour se concentrer sur la question qui lui était posée.

Ce que je suis ? Sacrée question qu'elle-même s'était toujours posée, aussi loin qu'elle s'en souvienne.

— Une poétesse, une pâtissière et une factrice de bougies, voilà ce que je suis, répondit-elle, la gorge serrée, en se passant une main sur l'épaule pour détendre ses muscles tétanisés.

L'homme qui se tenait devant elle semblait vibrer, comme saturé d'énergie sexuelle, et elle-même se surprit à y être sensible, à son corps défendant. Toute cette situation était irréelle.

Elle tendit la main vers lui, presque malgré elle, pour lui toucher le torse, comme pour vérifier que sa peau était brûlante, ainsi que la lueur dans ses yeux le laissait supposer.

Il s'avança légèrement, l'encourageant à poursuivre, et elle suspendit son geste. Non, ça ne pouvait pas être réel, c'était impossible.

Kara s'accrocha à cette lucidité passagère. Elle ferma les yeux et se mit à penser très fort que ce n'était qu'un cauchemar et qu'elle allait s'éveiller dans son lit, seule et terrifiée, mais en sécurité.

— Poétesse ?

Le murmure lui fit ouvrir les yeux malgré elle. Il était toujours là, tendu et vibrant de cette énergie qui faisait chanceler Kara et lui coupait littéralement le souffle.

— Oui, poétesse, répondit-elle d'une voix qui sembla résonner trop fort dans la pièce silencieuse.

Elle s'agaça soudain de cette question et laissa sa main tendue retomber le long de son corps.

— Je ne vois pas ce qu'il y a de mal à aimer la poésie. On ne peut pas tous avoir pour seuls loisirs le viol, le meurtre et les pillages, vous savez?

Son ravisseur se figea, ses pupilles rubis virant au carmin sombre.

— Je ne viole pas.

— Oh, désolée. Vous vous en tenez aux pillages? Toutes mes excuses, dans ce cas! railla-t-elle en croisant les bras sur la poitrine.

Toute peur venait de la quitter, elle n'était plus qu'une coquille vide, excédée et lasse. De quel droit s'était-il permis de l'amener ici, de la mettre nue puis de la soumettre à cette espèce d'interrogatoire, comme si elle était coupable de quoi que ce soit?

Il sembla l'examiner d'un œil neuf, une ride lui barrait le front, traduisant le doute, et peut-être même une certaine tristesse.

Contre toute attente, et à l'encontre de toute réflexion rationnelle, elle ressentit de nouveau cet appel. Il ne s'agissait plus d'un désir sexuel, mais plutôt d'un besoin de le réconforter, de le soulager de cette douleur qu'elle percevait en lui. Ses pupilles avaient perdu leur teinte rouge. Le brun, le vert et le gris s'y mêlaient, lui donnant un air plus pitoyable que réellement menaçant.

— Qui êtes-vous? osa-t-elle demander, la gorge serrée.

— Risk, répondit-il dans un coassement guttural.

Etrangement, Kara n'était plus intimidée par cet homme. Intriguée, plutôt.

— Bizarre comme nom. Vous êtes quoi, une espèce de rock star?

Son ton était cassant, sa remarque acerbe, le genre de truc que Kelly aurait parfaitement pu demander.

Kelly. Son regard tomba sur le papier au sol.

— Qu'est-ce que c'est que ça ? lui demanda Risk en s'agenouillant pour ramasser la feuille, la frôlant au passage.

Elle fit mine de lui arracher la feuille des mains.

— Une petite seconde, tu permets ?

Il étudia l'avis de recherche avec attention. Il était si près d'elle qu'elle pouvait sentir son parfum musqué. Elle se releva et sentit les muscles en haut de ses cuisses se contracter.

Elle ne broncha pas en se relevant et ignora du mieux qu'elle put les battements affolés de son cœur et la moiteur qui commençait à naître au creux de son jean trop serré.

— Je croyais que c'était Kara, ton prénom ? s'étonna Risk en désignant l'avis de recherche sur lequel Kelly posait en tenue de boxe.

— C'est le cas.

Elle tenta de nouveau d'attraper le papier, mais il le leva au-dessus de sa tête et se rapprocha d'elle. Ils n'étaient plus séparés que de quelques centimètres à présent.

— Alors ça veut dire qu'elle est, que c'est... ? murmura-t-il à son oreille

— Ma sœur, répondit-elle, le souffle court.

Il recula suffisamment pour pouvoir la regarder dans les yeux.

— Vous êtes jumelles ? Des vraies jumelles ?

Kara essuya ses paumes moites sur son jean et fit en sorte de ne pas prêter attention aux battements affolés de son cœur. Elle ne savait plus très bien si elle était affolée ou excitée. Est-ce que ça avait de l'importance ?

Cet homme lui faisait un effet terrible et elle devait se libérer de son emprise, se montrer forte.

— C'est ça, des jumelles. Vous vous seriez bien offert la paire, pas vrai ?

Encore une remarque à la Kelly, ça.

Il recula de quelques pas.

— Des jumelles, répéta-t-il dans un murmure, est-ce vraiment possible ?

Il demeurait interdit, la détaillant des pieds à la tête, incrédule. Lorsque leurs regards se croisèrent de nouveau, elle n'y lut qu'un intérêt purement *technique.*

Il tourna les talons et se dirigea vers la porte située de l'autre côté de la salle.

— Et moi alors, qu'est-ce que je deviens ? s'agaça Kara.

Il s'arrêta et posa la main sur le chambranle de la porte.

— Oui d'ailleurs, qu'est-ce que tu deviens ? répéta-t-il en pivotant légèrement vers elle.

Son regard épingla littéralement la jeune femme. Elle se mordit la lèvre, regrettant par sa question d'avoir attiré de nouveau son attention sur elle.

— Elle est portée disparue ? l'interrogea-t-il en brandissant l'avis de recherche.

Kara acquiesça.

— Depuis une semaine, lâcha-t-elle dans un souffle.

— Elle n'est pas morte ?

Le mot tomba, violent, âpre. Kara fit vivement non de la tête, le menton haut, certaine de son fait. Non, Kelly n'était pas morte. Elle ignorait où se trouvait sa sœur, mais elle était en vie, elle le sentait.

— Tu penses pouvoir la retrouver ?

Kara cilla pour chasser les larmes qui lui montaient aux yeux.

— Jusqu'ici, je n'ai pas réussi…

Il replia le papier et le rangea dans la poche de son jean.

— Peut-être que tu n'as pas cherché aux bons endroits ?

Kara avança vers lui, une lueur d'espoir dans le regard.

— Vous voulez dire… que vous seriez prêt à essayer de m'aider à retrouver Kelly ?

— Non, répondit-il avant de franchir la porte, sans prendre la peine de lui fournir la moindre explication.

Elle sentit ses jambes se dérober sous elle. Elle posa sa tête contre la porte afin de ne pas s'effondrer sur le sol. Qu'espérait-elle ? Pourquoi l'aiderait-il, et d'ailleurs pourquoi lui avoir demandé une chose pareille ? Elle ne le connaissait même pas !

Son bourreau reparut, une chemise à la main. Il l'enfila et la boutonna. Son refus avait anéanti Kara, pourtant, elle eut un pincement au cœur en voyant disparaître ses muscles sous le tissu. Il releva ses manches, laissant apparaître ses avant-bras nus.

— Je ne vais pas essayer de la retrouver, affirma-t-il.

Kara leva les yeux au ciel et fixa le plafond, comptant les poutres pour ne pas hurler sa douleur. Comme elle se sentait pathétique de s'émouvoir ainsi à la moindre lueur d'espoir ! Et qu'allait-il se passer maintenant ? Allait-il continuer à jouer avec sa fragilité émotionnelle ?

— Je ne vais pas essayer, répéta-t-il, je *vais* la trouver.

Kara baissa la tête juste à temps pour le voir tourner les talons et pénétrer pieds nus dans la cuisine.

Risk termina de mettre le couvert et fit signe à Kara de le rejoindre. Elle hésita, les doigts agrippés au dossier de la chaise, sa tension s'évanouissant lentement, comme la brume se levant sur l'océan.

— Vous... tu manges toujours autant ? s'étonna-t-elle en contemplant les plats de viande disposés sur la table.

— Pas tous les jours, non.

Lorsqu'il traquait une proie, il jeûnait. Il pouvait tenir ainsi des jours entiers, des semaines même sans manger, mais lorsqu'il se préparait à se mettre en chasse, il mangeait. Beaucoup.

C'était précisément ce qu'il s'apprêtait à faire. Que la fille se débrouille. Avec un dernier regard pour l'encourager, il s'installa.

— Tu n'as rien de moins... saignant ? s'enquit-elle, hésitante.

— C'est cuit, lui fit-il remarquer.

— A peine, maugréa-t-elle. Elle fit un geste en direction du réfrigérateur. Je préférerais un truc vert ou jaune, des fruits ou des légumes par exemple.

Il saisit une fourchette et la planta dans une généreuse tranche de viande.

— Ce sont les proies qui broutent.

Il vit une nébuleuse d'émotions flotter autour d'elle, s'épaissir en un épais nuage. Il jura silencieusement, lâcha sa fourchette toujours fichée dans la tranche saignante.

— Mange, ordonna-t-il.

Quelque chose brilla dans le regard de Kara, mais ce

n'était pas l'éclat pourpre de son pouvoir ; elle avait peur. Le parfum de sa frayeur le frappa de plein fouet et il dut s'accrocher à la table. Bon sang ! Il résista avec peine à la pulsion de la plaquer contre le mur, d'enfouir son visage dans ses cheveux et d'en faire sa créature.

Pourquoi en avait-il envie à ce point ? La peur et la colère l'avaient toujours aiguillonné, mais il avait appris à contrôler ses émotions. Avec cette petite garce de sorcière, la bête malfaisante qui vivait en lui devenait plus présente que jamais. Il sentit le feu s'embraser derrière ses pupilles et ses narines frémir. Il fixa son assiette avec intensité ; il fallait qu'il se calme.

Il inspira profondément, ordonna à ses muscles de se détendre et releva enfin la tête, découvrant ses dents dans ce qu'il espérait ressembler à un sourire.

— Il doit y avoir du pain et du beurre de cacahuète par là, hasarda-t-il en désignant un tiroir près de l'évier.

Elle acquiesça en se mordant la lèvre.

Il profita du fait qu'elle était face au réfrigérateur pour l'étudier. Elle était plutôt jolie pour une sorcière, menue, petit postérieur potelé, de grandes jambes pour sa taille, et des cheveux mi-longs, juste bouclés comme il fallait, qui donnaient envie d'y plonger les doigts. Son sexe réagit à cette idée. Il bougea sur sa chaise, gêné que son corps le trahisse de cette manière.

Il devait se concentrer sur la traque. Si les légendes au sujet des vraies jumelles étaient fondées, Kara et sa sœur pouvaient représenter un butin inestimable. Peut-être même seraient-elles assez puissantes à elles deux pour le libérer à jamais de l'emprise de Lusse. Le fait est que s'il comptait retrouver la sœur de Kara et mettre leur magie commune à profit pour briser le charme qui le maintenait sous la coupe de Lusse, il allait devoir trouver un moyen de ne pas se laisser distraire toutes les cinq minutes par le parfum enivrant de la jeune femme ou par la courbe féline de ses reins.

Il fallait qu'il retrouve son calme et qu'il se concentre sur la nécessité de mettre la main sur l'autre sœur, et non de posséder celle-là.

Il devait éviter de la regarder tant qu'elle ne serait pas de nouveau assise avec son morceau de pain.

— Tu en veux un bout ? lui proposa-t-elle.

Risk considéra la tranche posée devant lui. D'ordinaire, le pain lui servait comme appât pour attirer ses proies dans des pièges.

Il leva les yeux sur le visage en forme de cœur de la jeune femme. L'odeur de sa peur avait reflué, mais sa tension était toujours palpable.

Elle le regardait avec de grands yeux, la main qui tenait le morceau de pain tremblant légèrement.

Je dois réussir à l'apaiser. Il prit le pain et poussa un soupir de soulagement en la voyant tirer une chaise et s'asseoir.

— Alors, tu vas vraiment m'aider à retrouver ma sœur ? murmura-t-elle.

Il acquiesça sans quitter son assiette du regard.

Elle plongea son couteau dans le pot et étala lentement le beurre de cacahuète sur la tartine.

— Comment..., elle hésita quelques instants... comment savoir si je peux vraiment te faire confiance ?

— Tu ne peux pas.

Il saisit un couteau à viande et sépara d'un coup sec la cuisse de canard du reste du corps. Il la sentit se contracter.

Bon sang, que c'était compliqué de ne pas faire peur.

***

Kara sursauta en entendant le craquement des os du canard sous l'acier du couteau.

Son hôte n'était pas exactement un esthète. Elle rompit le pain en deux en continuant de fixer Risk du coin de l'œil, se prépara un sandwich et mordit dedans. Toute cette situation était surréaliste : les chiens la nuit dernière, les yeux étranges de son ravisseur, cet endroit. Elle avait vraiment cru qu'il allait lui ouvrir la gorge en deux et elle n'était d'ailleurs pas totalement rassurée sur ce point. Pourtant — elle lui glissa un nouveau regard à la dérobée — il n'avait rien fait d'ostensiblement agressif depuis qu'ils s'étaient mis à table. Il y avait eu des moments un peu dérangeants, notamment quand il s'était servi du couteau en parlant de ses proies, mais il ne l'avait menacée à aucun moment et ses yeux étaient demeurés parfaitement normaux.

C'était bon signe, ça.

Son sens pratique lui suggérait de profiter du léger relâchement de son ravisseur pour s'enfuir, mais il avait promis de l'aider à retrouver Kelly, et malgré la peur qu'il lui inspirait — et peut-être même à cause de ça — elle l'en croyait capable.

— Par où commence-t-on? lui demanda-t-elle en avalant tant bien que mal son sandwich.

— A toi de me le dire. Dans quelles conditions a-t-elle disparu?

Ignorant de son mieux la lame luisante dans la main de Risk, elle relâcha ses épaules et se plongea dans ses souvenirs.

— Kelly est… différente.

En comparaison d'une vaste majorité de la population,

c'était même un euphémisme, mais elle n'avait pas le temps d'entrer dans les détails.

— Elle a toujours cru en des choses que les autres tenaient pour être des chimères.

Elle guetta sa réaction, mais il se contenta de planter son couteau dans la carcasse du canard en l'encourageant à continuer.

Elle poursuivit, en réprimant un frisson.

— Il y a environ six mois, elle s'est mise à suivre des cours par correspondance et à sortir. Beaucoup.

— Est-elle fiancée ?

Kara s'interrompit, surprise par le mot qu'il venait d'employer.

— Non, Kelly ne court pas après les mecs. Moi non plus d'ailleurs.

Il leva un sourcil, mais n'ajouta rien.

— J'ai la conviction qu'elle était…

Kara serra le sandwich dans sa main.

Comment lui expliquer ça ? Elle avala sa salive et décida de la conduite à tenir : autant lui dire la vérité, il se pourrait bien qu'il accepte de la croire.

— … en chasse, termina-t-elle, j'ai l'impression qu'elle poursuivait quelque chose.

— Peut-être que c'est elle qui s'est fait capturer ? supposa-t-il.

Il se passa un doigt sur les lèvres et Kara suivit le mouvement, sur chaque centimètre de la courbe.

— Ta sœur, reprit-il, tu m'as dit qu'elle était différente. De quelle façon est-ce que ça s'exprime ?

Kara baissa les yeux avant qu'il ne se rende compte de l'intérêt qu'elle lui portait. C'est elle qui les avait engagés dans cette direction, maintenant il fallait assumer.

— Elle est… comment dire. C'est une mystique.

Elle aime l'encens, les statuettes, les bouts d'animaux morts.

Elle attrapa une serviette, s'essuya le doigt et releva le nez. Pas la moindre expression sur le visage de Risk, pas même une once d'intérêt.

— Est-ce qu'elle s'entraînait beaucoup ?

— A quoi ?

Il poussa un profond soupir en guise de réponse, comme pour retrouver son calme. Elle craignit de le voir sombrer de nouveau dans son humeur meurtrière, aussi enchaîna-t-elle rapidement.

— Eh bien, j'imagine qu'on peut dire qu'elle s'entraînait, oui. Kelly est du genre opiniâtre.

Il leva un sourcil dubitatif.

— C'est un vrai chien de chasse. Mettez-la face à un défi et elle se donnera à deux cents pour cent pour le relever. Et puis c'est quelqu'un de physique, elle aime se sentir vivante. Pour elle, il est important de prendre soin de soi et d'être capable de se débrouiller tout seul. Elle a étudié les arts martiaux… cette technique qu'utilisent les militaires israéliens. Elle a suivi des cours pendant un moment, cinq jours par semaine, et uniquement parce qu'ils n'étaient pas ouverts le reste du temps.

Ce qu'elle ne lui dit pas, c'est que Kelly l'avait tannée pour qu'elle l'accompagne, et elle commençait à regretter de ne pas avoir accepté, vu ce qui s'était passé ces dernières vingt-quatre heures.

— Une chasseresse doublée d'une guerrière… ta sœur semble être une personne digne d'intérêt. Sa main se porta malgré lui vers la chaîne qu'il avait autour du cou. Et toi, dis-moi, tu t'entraînes ?

Kara laissa tomber son sandwich sur la table de bois.

— Non, répondit-elle de façon abrupte.

Voilà bien longtemps qu'elle s'était résignée à ce que Kelly soit celle qui récolte tous les honneurs, celle qu'on admire. Ça ne l'avait jamais dérangée jusqu'à ce jour, mais entendre le ton admiratif qu'employait Risk en parlant de sa sœur la mit brutalement face à la réalité : elle n'était pas de taille face à elle, et à l'évidence, même un étranger qui n'avait jamais rencontré sa sœur pouvait s'en rendre compte.

— Et toi? lui demanda-t-elle pour changer de sujet.

— Comment ça, moi? répéta-t-il en s'intéressant de nouveau à son assiette.

Kara eut une nouvelle hésitation. Devait-elle pousser sa chance en l'interrogeant? Mais que lui demander?

Elle pourrait lui poser la question au sujet de ses yeux, est-ce qu'elle avait rêvé lorsqu'elle les avait vus briller? Non, c'était beaucoup trop personnel. Ce qui le poussait à l'aider, peut-être...? Non, elle risquait de le faire changer d'avis.

— Comment est-ce que je me suis retrouvée ici? demanda-t-elle finalement.

— Je t'y ai amenée, expliqua-t-il sans relever la tête.

Une réponse sèche, qui tint Kara coite pendant un moment. Comme il continuait à manger, elle s'enhardit.

— Mais, comment as-tu fait ça, et où sommes-nous, au juste?

— Je t'ai portée, et nous sommes environ à cent trente kilomètres de la ville, si c'est cette unité de mesure-là qui t'intéresse.

Cent trente kilomètres? Ses rêves de fuite s'évanouirent brutalement.

— Et quelle autre unité de mesure pourrais-je utiliser?

lui demanda-t-elle, en prenant conscience de la réponse qu'il venait de lui faire. D'ailleurs, j'aimerais savoir comment tu peux porter quelqu'un sur une pareille distance?

Il arbora un sourire pensif.

— Oh, j'ai porté...

Kara attendit en vain qu'il termine sa phrase. L'expression de Risk venait de se figer. Il tourna vivement la tête sur le côté.

— Qu'est-ce qui se passe? demanda-t-elle, inquiète.

Il se plaqua les mains sur les oreilles, se leva de table en titubant et s'affaissa lentement au sol.

Kara se leva vivement et vint s'agenouiller près de lui. Il avait les doigts agrippés à la chaîne d'argent et il la serrait si fort que ses jointures viraient au blanc. A ce rythme-là, il allait s'incruster le collier dans le cou.

Il devait être en train de faire une crise cardiaque. Kara lui prit la main pour lui faire lâcher prise avant qu'il ne se blesse.

Il lâcha la chaîne et la repoussa.

— Jeep. Derrière. Prends...

Qu'est-ce qu'il racontait, bon sang? Elle ne pouvait tout de même pas l'abandonner comme ça?

— Est-ce qu'il y a un téléphone? Je pourrais appeler quelqu'un. Ou des médicaments? Tu veux que je te donne quelque chose?

Elle lui posa la main sur l'épaule et il se mit à scintiller, exactement comme le molosse au poil brun, la nuit dernière. Elle vit sa propre main se mettre à briller, elle aussi et une sensation étrange la saisit, comme si son membre avait été longuement engourdi et qu'il revenait à la vie.

— Non.

Il replia la jambe et d'un coup de son pied nu, il repoussa la jeune femme à l'autre bout de la pièce.

La tête de Kara heurta un meuble avec une violence telle qu'elle crut être victime d'une hallucination en assistant à ce qui suivit.

Ce qui s'était déjà produit avec le chien, se produisit de nouveau. L'air autour de Risk se mit à vibrer, à onduler et dans un grognement… il disparut.

Kara fixa longuement l'emplacement où il s'était tenu. Il n'était plus là. C'était impossible. Elle se massa la nuque et rampa jusqu'à l'endroit où il se trouvait encore quelques secondes auparavant. Elle passa une main tremblante sur les lames du plancher. Le bois était brûlant, aussi chaud qu'une plaque de cuisson qu'on venait d'éteindre.

Qu'est-ce qui pouvait provoquer un phénomène comme celui-là ?

Kara serra les poings. Elle devait garder les idées claires. Un homme adulte de sa corpulence ne disparaissait pas comme ça, il y avait forcément une explication. Elle posa de nouveau la main à proximité de l'endroit où il s'était tenu. Le bois refroidissait déjà. Dans quelques secondes, il n'y aurait plus la moindre trace de sa présence ici.

Ça ne changeait rien à ses yeux. Il était là. Puis il s'était évanoui, et ça, il n'y avait aucun moyen de l'expliquer. Elle regarda autour d'elle. Le chalet, cet étrange chalet était toujours là, bien réel. Et Risk aussi était réel. Il avait été là, avec elle.

D'abord le chien, maintenant Risk. C'était trop pour Kara. Elle glissa au sol et laissa la chaleur résiduelle monter en elle.

Toute sa vie, elle avait assisté à des choses étranges, mais rien d'aussi énorme, rien qui ne puisse finalement trouver une justification d'une manière ou d'une autre.

Pour qu'un homme disparaisse de cette manière, juste sous ses yeux, il ne pouvait y avoir que deux explications. Soit elle était complètement folle, soit il existait des choses qu'elle ignorait et qui n'obéissaient pas aux lois de l'univers telles qu'elle avait appris à les connaître.

Elle n'était pas certaine de savoir laquelle de ces deux perspectives la rassurait le plus.

4

Dans un scintillement chamarré, Risk se matérialisa sur le tapis de Lusse. Il avait cessé de lutter contre l'appel de sa maîtresse après avoir pris soin d'éloigner Kara. Il n'aurait pu ignorer la sorcière plus longtemps sans risquer qu'elle se déplace en personne, elle ou l'un de ses émissaires, violant son petit territoire intime, avec le risque qu'elle trouve Kara.

Il repoussa cette idée et tout en s'agrippant au tapis moelleux, chassa la petite sorcière de son esprit.

Il avait beau avoir une âme à moitié humaine — comme s'en plaignait suffisamment Lusse — il ne se souciait pas du bien-être de qui que ce soit pour autant ; du sien moins que tout autre. S'il voulait se libérer de l'emprise de Lusse, c'était pour qu'elle souffre, pour faire vaciller son précieux pouvoir de le tourmenter. Il vivait dans cette attente.

Non, la petite sorcière n'était rien à ses yeux, se répéta-t-il en desserrant les doigts. Il craignait, pourtant que Lusse la retrouve avant lui et l'empêche de récupérer sa jumelle. Il devait la protéger s'il voulait avoir une chance de convaincre les sœurs de l'aider. Le son sinistre de la corne résonna sur le sol de marbre et les chaussures de Lusse, incrustées de diamant, pénétrèrent son champ de vision.

— Ah, mon animal domestique préféré est de retour.

L'insulte lui fit serrer les dents. Enfant, il avait la faiblesse de laisser Lusse deviner lorsqu'elle parvenait à le mettre en colère. Ce n'était plus le cas aujourd'hui. Il préférait souffrir en silence, et même feindre d'y prendre du plaisir, plutôt que de lui offrir le spectacle délectable de sa souffrance.

— Qu'est-ce que c'est que ça ? lui demanda-t-elle en passant la main sur sa chemise, l'énergie qui crépitait au bout de ses doigts traduisant son déplaisir. Enlève ça !

Risk dissimula ses émotions et entreprit de déboutonner sa chemise, tout en s'asseyant sur ses talons.

— C'est une chemise, répondit-il avec un sourire forcé.

— Je la déteste. Enlève-la sur-le-champ !

Elle tourna vivement les talons, sa robe claquant sur ses jambes tandis qu'elle gagnait son fauteuil. Elle s'assit, attendit un moment, ses doigts caressant le tissu pourpre.

Torse nu, Risk sentit l'air glacé de la demeure passer sur sa peau. Il réprima un frisson.

— Tu as froid ? s'étonna la sorcière.

— Jamais quand je suis près de toi, Lusse, répondit-il avec indifférence.

Risk savait qu'elle aurait préféré qu'il s'adresse à elle avec davantage de déférence, mais il ne lui avait jamais fait ce plaisir et il ne comptait pas commencer aujourd'hui.

— Alors dis-moi, petit chiot, où étais-tu passé ? demanda-t-elle sur le ton de la conversation, d'une voix caressante, mais Risk savait qu'il ne fallait pas prendre la chose à la légère.

— J'obéissais à ta volonté, comme toujours, affirma-t-il sans ciller, afin de donner plus de poids à son mensonge.

— Vraiment ? demanda-t-elle d'un ton étonné.

Elle se leva et saisit l'un de ses jouets favoris sur la table — un gantelet serti de gemmes — avant de venir jusqu'à lui, juste sous les menottes suspendues au plafond.

— Je dois avouer que je me pose des questions, reprit-elle. Tu me comprends certainement, n'est-ce pas ?

Elle fit courir son pied le long des rainures qui se dessinaient dans le marbre, en secouant la tête.

— Mais que vois-je ? On dirait que Bader se relâche, il a oublié une petite tache.

Elle désigna du bout du pied une goutte de sang frais qui se détachait sur la pierre claire. Risk feignit l'intérêt en levant un sourcil.

— Tu as mis si longtemps. Et puis pas la moindre nouvelle. J'ai fini par me lasser, soupira-t-elle en apparaissant près de lui et en lui saisissant le menton.

Elle enfonçant ses ongles dans sa joue et le força à la regarder.

— Tu sais ce que la lassitude me pousse à faire, n'est-ce pas ? demanda-t-elle.

Risk soutint son regard — un océan marine pris dans la plus violente des tempêtes — sans même avoir à feindre l'indifférence.

— Oui, Lusse, je le sais.

— Et quoi, c'est tout ? Pas d'acte de contrition, pas la moindre excuse ? Pas de « je ferai mieux la prochaine fois » ?

Elle laissa son doigt glisser sur la lèvre de Risk, à peine plus insistant qu'un papillon se posant sur une fleur.

— Je me fais un sang d'encre et toi tu reviens sans un mot ? chuchota-t-elle en enfilant un gantelet. Et pire..., continua-t-elle en le frappant au visage, le regard étincelant, tu reviens les mains vides !

Les diamants tracèrent de profonds sillons dans le visage du cerbère, laissant un inhabituel sillage de douleur glacée. Génial... Lusse avait apporté un raffinement supplémentaire à son petit joujou... Etait-ce de cette façon qu'elle trompait son ennui lorsqu'il était absent ? Ou avait-elle d'autres surprises en réserve ?

Toujours à genoux, Risk ne bougea pas, ignorant l'engourdissement qui gagnait son visage et le sang qui coulait de ses plaies.

— As-tu trahi ma confiance, cerbère ? T'ai-je prodigué tant d'attentions, tout au long de ces années, en pure perte ? Et où est ma sorcière ? cria-t-elle en traversant la pièce à longues enjambées pour regagner son fauteuil, sa robe la suivant comme la traîne de soie d'une comète pourpre.

Risk releva la tête. Kara ne lui servirait à rien s'il mourait aujourd'hui, mais cinq cents ans de tortures lui avaient enseigné que Lusse n'irait pas jusque-là. Pourtant, s'il se trompait... eh bien qu'il en soit ainsi.

— Je ne l'ai pas.

— Alors tu as bel et bien trahi ma confiance. Tu as échoué ? l'interrogea-t-elle, sceptique.

— Il y a eu des... complications, expliqua-t-il en crachant le sang qui avait coulé sur ses lèvres.

Il avala le reste du liquide salé.

— Les cerbères ne rencontrent pas de *complications*. Les cerbères obéissent aux ordres. N'est-ce pas, Risk ?

— Absolument, confirma-t-il, la paralysie qui commençait à gagner sa joue lui évitant d'avoir à dissimuler le sourire irrépressible qui lui aurait certainement valu une autre gifle.

— Sais-tu d'où te vient ton nom, Risk? lui demanda-t-elle en tapotant l'accoudoir de son gantelet.

— C'est toi qui me l'as donné, Lusse, répondit-il.

— Précisément, mais sais-tu pourquoi je t'ai donné ce nom et pas un autre?

— Non, Lusse, marmonna-t-il, la moitié du visage figée.

— Quand je t'ai emmené, tes parents étaient trop heureux de te voir partir, tu sais. Une bouche de moins à nourrir, sans compter l'honneur qui leur était fait de voir leur rejeton choisi par moi. Je t'ai eu pour une bouchée de pain, gloussa-t-elle, comme s'ils échangeaient d'agréables souvenirs d'enfance.

» C'est toi que j'ai choisi parmi tous tes frères et sœur, poursuivit-elle, parce que même enfant, tu étais différent. Les autres faisaient tout pour séduire — comme font la plupart des cerbères, du reste — mais toi non. Tu n'as jamais obéi à la carotte, pas plus qu'au bâton. Tu m'as intriguée et j'ai su à cet instant que tu avais le potentiel pour devenir invincible, si je te donnais l'entraînement adéquat. Je prenais un risque, certes, mais j'estimais alors que c'était un défi à ma mesure. Dans le cas contraire, j'aurais été de ma poche de quelques espèces sonnantes, rien de plus.

L'engourdissement du visage de Risk se muait en un froid glacial qui gagnait tout son corps, comme si on lui caressait l'échine avec la lame d'une épée. Il contracta les épaules et endura sans broncher.

— Alors dis-moi, t'ai-je bien baptisé? Méritais-tu que je prenne ce risque? s'enquit Lusse en serrant le poing pour contempler les reflets des gemmes de son gantelet, fugaces arcs-en-ciel.

— Tu as très bien fait, Lusse, hasarda Risk sans savoir si le moindre son sortirait effectivement de sa bouche.

— Bien, dans ce cas, où est ma sorcière ? s'enquit-elle en détachant son regard des reflets diamantins.

Risk ignorait quelle magie Lusse avait mise en œuvre dans sa gifle, mais elle continuait de s'insinuer en lui et gagnait en puissance. La douleur rayonna depuis son dos jusque dans son ventre et se répercuta dans ses cuisses, comme une comète folle ricochant à l'intérieur de son corps. Il serra les dents et ignora la souffrance.

Que dire à Lusse ? S'il en révélait trop peu, elle saurait qu'il mentait, mais s'il se montrait trop bavard, elle devinerait son plan.

— En sécurité, annona-t-il.

— En sécurité ? Un éclair d'intérêt brilla dans les yeux de la sorcière. Et tu la protèges de quoi au juste ?

— Il y a eu...

La douleur redoubla et il fut incapable de poursuivre.

— Il y a eu quoi ? insista Lusse.

— Un...

Risk respirait par à-coups, les dents serrées, imposant à son esprit d'ignorer la douleur pour parvenir à articuler quelques syllabes.

— ... problème.

— Oui, oui, un problème, j'ai compris. Et puis ? Parle ! s'impatienta Lusse, les sourcils froncés.

Risk ouvrit de nouveau la bouche, mais cette fois, seul un son guttural s'en échappa. Il lui sembla que des lames de glace venaient lui perforer les entrailles, le privant d'oxygène. Il se tendit comme un arc, attendant que le poison de Lusse fasse son œuvre funeste.

— Par Yggdrasil, quel mâle obstiné !

Lusse retira le gantelet d'un geste rageur. Elle saisit une petite fiole dans les replis de sa robe et s'approcha du cerbère. Si le sortilège ne l'avait pas paralysé sur place, Risk se serait jeté en arrière pour ne pas se voir administrer le remède, simplement pour le plaisir de la frustrer. Quelle jouissance de mourir de ses mains en sachant qu'il emporterait dans la tombe l'endroit où se trouvait la proie tant désirée de Lusse. Cette pensée le fit même sourire. Il ne parvint qu'à faire un léger pas de côté, et avala malgré lui le liquide chaud qui lui coula sur le visage.

En quelques secondes, la douleur glacée se mua en une souffrance brûlante qui devint une simple gêne. L'antidote irradia dans tout son corps à la poursuite du poison et la pression sur sa poitrine s'atténua, lui permettant de respirer normalement. Il ne céda pourtant pas à l'envie d'avaler une grande goulée d'air.

Il demeura stoïque et inspira aussi naturellement qu'il put, dominant les derniers vestiges de douleur. Lusse n'était qu'à quelques pas. L'œil inquisiteur, elle tapait du pied et ses ongles tintaient sur la fiole vide.

— Bader, s'exclama-t-elle, amène-moi le jeune chien fou.

Lusse avait donc décidé d'arrêter de jouer. Elle lui réservait certainement une nouvelle torture raffinée, mais Risk s'en moquait, cela lui fournissait un répit qu'il mettait à profit pour inventer une histoire crédible au sujet de Kara.

— Bader, répéta Lusse d'une voix qui claqua dans la pièce comme le vent arctique.

La double porte pivota silencieusement sur ses gonds et s'ouvrit sur le vieux serviteur dont les semelles parfaitement cirées glissaient alternativement, sans jamais qu'aucun de ses pieds ne quitte le marbre froid. Il tenait une boîte argentée à la main et un jeune cerbère roux sous sa forme humaine le suivait.

Risk songea que c'était le jeunot qui s'était aventuré sur son territoire. Des arcs d'énergie crépitaient autour de la boîte, le tirant en avant, son collier attiré par l'objet comme par un puissant aimant. Malgré les nombreuses blessures qui zébraient son corps, le garçon se tenait droit et avait un regard décidé.

— Tu vois, je ne t'ai pas menti, lui dit Lusse en désignant Risk, ton père sait tenir sa place.

La sorcière leva la main et fit signe à Bader de faire avancer le garçon blessé. Risk considéra alternativement les trois silhouettes devant lui, sans parvenir à chasser un mot de son esprit : *père ?* Bader fit coulisser le haut de la boîte, tandis que Lusse saisissait le jeune cerbère par le collier en se tournant vers Risk, un large sourire sur le visage.

— Oh, est-ce que j'aurais oublié de faire les présentations ? Risk, voici ton fils. Venge, voici le père dont je t'ai tant parlé.

Le jeune cerbère, le regard vague, fixait un point quelque part derrière Lusse et ne semblait même pas remarquer la présence de Risk ou de Bader. Le vieux serviteur, dressé sur la pointe des pieds, faisait de son mieux pour garder le contrôle de la boîte dont la puissance lui permettait de manipuler Venge à sa guise, comme une marionnette.

Risk se demanda brièvement quelle teinte avait le pouvoir dans les pupilles de Lusse, aux yeux de ceux qui contrairement à lui — l'un de ses cerbères — ne voyaient pas le monde en nuances de gris. Certainement rien de comparable avec le pourpre des pupilles de Kara, c'était une certitude.

— Bader, appela Lusse, les lèvres pincées, avec un hochement de tête impatient.

Levant la main, paume vers le haut, elle désigna les deux cerbères.

— Non, intervint Risk, brisant le silence sépulcral de la scène.

Lusse suspendit son geste et se tourna vers lui avec un sourire carnassier.

— Qu'est-ce qu'il y a, Risk? On regimbe, on refuse un peu de discipline?

Elle s'approcha de lui en laissant ses doigts courir sur la table, puis lui tourna autour, ses ongles glissant sur ses épaules et sur son torse nu.

— L'instinct paternel, peut-être?

Elle se tenait à présent derrière lui et il pouvait sentir son souffle glacé sur sa nuque. Risk mesura son erreur. Lusse avait dit que cet autre mâle était son fils, mais elle ne lui en avait pas donné la preuve. Et de toute façon, qu'est-ce que ça changeait? Rien. Son objectif demeurait le même : vaincre la sorcière.

— Alors, tu as avalé ta langue? glousse Lusse en émettant un son qui ressemblait à un sifflement de vipère.

Malgré lui, Risk le compara au tintement cristallin du rire de Kara.

— C'est ton portrait craché, tu sais, dit Lusse, les mêmes épaules larges...

Ses mains en épousèrent le galbe.

— Le même torse massif...

Ses paumes descendirent sur son ventre tandis qu'il sentait la poitrine de la sorcière s'écraser sur son dos.

— Le même parfum enivrant…

Sa langue vint lui lécher la nuque.

Risk maîtrisa son envie soudaine de l'envoyer voler à l'autre bout de la pièce et d'entendre son cou se rompre dans un craquement lorsqu'elle heurterait le mur.

— Le même caractère borné…

Dans un mouvement fluide, elle leva le poing et déplia ses doigts. L'énergie jaillit de sa main et vint frapper la chaîne qui enserrait le cou de Venge. La décharge percuta l'anneau de métal, avant de croiser le flux émanant de la boîte — toujours entre les mains de Bader — pour ensuite le remonter à contre-courant. Le serviteur observa le phénomène avec des yeux ronds. La sphère d'énergie se rapprocha de lui et lorsque la décharge le frappa, son corps fut projeté comme une feuille malmenée par le vent. Lusse sourit, sa main libre toujours posée sur le dos de Risk.

Le garçon saisit la chaîne d'argent et lutta pour l'ôter, les yeux fermés dans un effort manifeste pour juguler la souffrance que lui causait cet acte de rébellion. L'un de ses genoux le trahit et il tendit le bras pour se rattraper au mur. Il était pris d'un spasme violent à chaque afflux d'énergie jaillissant de la paume de Lusse. Il ouvrit enfin les yeux sur Risk et sur la sorcière.

— Tu vois comme il s'obstine, soupira Lusse avec lassitude à l'oreille de Risk.

Elle s'éloigna brusquement du cerbère.

— Il suffit ! s'écria-t-elle soudain en levant ses deux mains devant elle, libérant une nouvelle rafale de puissance brute.

L'odeur âcre de la colère que ressentait Venge envahit

la pièce. Risk se raidit, plus que jamais aiguillonné par la tentation de détruire Lusse. Comment ce garçon parvenait-il à survivre à cela ? Risk avait enduré des tourments bien pires, mais Venge était encore jeune, il n'était pas dans la plénitude de son pouvoir de cerbère. Est-ce que Lusse comptait le tuer simplement pour avoir le dernier mot ?

Le démon en lui regimba, avide de transformer cette séance de torture en un vrai combat, un affrontement que Risk savait perdu d'avance. Pourtant la voix en lui refusait de se taire. S'il parvenait à faire couler ne serait-ce que quelques gouttes du sang de la sorcière, alors sans doute le sacrifice en vaudrait-il la peine.

Il serra les poings. Le brasier de sa colère s'intensifiait de seconde en seconde. *Transforme-toi, transforme-toi, transforme-toi,* répétait la voix du démon.

Les jambes de Venge se dérobèrent et il bascula en avant. Seul le flux d'énergie qui émanait des paumes de Lusse lui évita de tomber face contre terre.

— Ah, tout de même, murmura la sorcière en propulsant une ultime décharge dans la chaîne en argent.

Enfin, estimant sans doute que le message était passé, elle laissa ses bras retomber le long de son corps. Bader et Venge s'effondrèrent tous deux au sol avec un bruit mou de mauvais augure.

Risk inspira profondément afin de calmer la bête qui grondait dans les tréfonds de son esprit. *Tiens-t'en au plan.* Il devait sauver la fille, c'était le seul moyen de contrer Lusse.

Sauf que... Son regard tomba sur le corps immobile du garçon.

— Alors papa, on est fier de son fiston ? Est-ce qu'il tient ses promesses ? railla Lusse en se dirigeant vers

Venge, relevant légèrement sa robe pour enjamber Bader, toujours inconscient.

— Je n'ai pas de fils, répondit Risk en jetant un regard froid à sa maîtresse.

— Oh que si, répliqua Lusse en posant un pied sur l'échine du jeune cerbère.

« Grand, beau, sauvage, c'est tout toi. Ne me dis pas que tu ne te souviens pas ? Non ? Comme c'est triste. »

Venge souleva faiblement les paupières, les pupilles brûlant de rage et d'impuissance. Ce regard était-il destiné à Lusse ou à Risk ?

— Pauvre Venge. Son papa ne veut pas de lui.

« C'était une nuit vraiment particulière, commença Lusse en s'agenouillant près du jeune cerbère et en dessinant des cercles sur son dos trempé de sueur, sans quitter Risk des yeux. Une nuit pleine de promesses. Tu ne te souviens vraiment pas ? Les combats, le bain de sang ? Toutes ces semaines d'entraînement pour t'amener au point de rupture, pour que tu t'abandonnes entièrement à la Chasse. Ça m'a coûté six de mes meilleurs cerbères, mais ça valait la peine ; j'ai enfin pu contempler la pleine mesure de ta métamorphose lorsque tu t'es laissé aller. »

Elle s'étreignit tendrement les épaules, se passant les doigts sur le bras avec un frisson de plaisir.

La pleine mesure de ma métamorphose, se répéta Risk. Oui, il s'en souvenait maintenant.

— Mais..., commença-t-il.

— Oh, ton papa se demande comment il a pu oublier ?

Lusse chassa les mèches collées au front de Venge.

— Il craint d'avoir tué ta maman. Et c'est vrai que ce n'est pas passé loin. Il lui a ouvert la gorge avec un tel enthousiasme qu'elle a eu de la peine à te mettre au monde.

Le regard de Lusse revint vers Risk.

— Mais comme tu vois, elle y est parvenue. Elle a survécu. Un temps. Suffisamment pour ce que j'attendais d'elle.

Lusse passa sa main le long de l'échine du jeune cerbère.

— Regarde-le de près, renifle-le et tu sauras que je dis vrai.

Risk se replongea dans les souvenirs de cette époque qu'il aurait tout donné pour oublier. Lusse l'avait affamé pendant des semaines et avait tout fait pour le briser. Elle l'avait enfermé en compagnie d'autres mâles pour qu'il s'impose, elle l'avait enchaîné au mur de l'une de ses chambres de torture et il avait assisté aux pires sévices, se nourrissant malgré lui d'un déchaînement de peur et de colère.

Enfin elle l'avait jeté dans une cellule en compagnie d'une femelle en chaleur. Toute humanité avait quitté son corps, seul était demeuré l'animal. Il avait couvert la femelle, avait enfoncé ses dents dans sa chair, le goût du sang ne faisant qu'attiser sa jouissance. Il s'était noyé dans cet océan de sexe et de sang qui avait eu pour épilogue la mort de la femelle.

C'est du moins ce qu'il avait cru.

Redevenu humain, il avait vu Bader traîner le corps sans vie à l'extérieur de la cellule. Lusse l'avait récompensé en l'élevant au rang d'alpha, de mâle dominant, mais cet honneur n'avait fait que renforcer ses convictions. Il avait refusé son statut, acceptant de subir les tortures qu'elle réservait à ceux qui défiaient son autorité. Elle avait tenté à plusieurs reprises, depuis ce jour, de le forcer à accepter cette distinction, en vain. Et voilà qu'elle lui annonçait que le mâle allongé à ses pieds était le fruit de cette union hideuse.

— Tu ne me crois toujours pas, n'est-ce pas, Risk? Ton manque de confiance me consterne. Viens donc plus près.

Mais Risk ne tenait pas à se rapprocher. Il ferma les yeux et s'en remit à ses sens. Il ne sentit rien, tout d'abord, que l'odeur d'un autre cerbère mâle tout près de lui. *Tue. Tue*, lui hurlaient ses instincts. Sous forme animale, ses griffes auraient jailli, mais sous son apparence humaine, il était capable de juguler ses pulsions, seul un papillonnement de ses narines trahissait sa réaction à la présence d'un concurrent potentiel dans la même pièce que lui.

Tue. Risk demeura immobile, les poings serrés, attendant que l'envie de se jeter sur l'autre mâle reflue. Lorsqu'il fut certain d'avoir repris le contrôle, il inspira de nouveau et examina avec plus d'attention la fragrance qui lui parvenait.

Colère. Peur. Mais ce n'était pas uniquement une sensation physique. La douleur émotionnelle était un sentiment humain, inconnu des cerbères; une faiblesse de mortel en somme, comme dirait Lusse, le genre de faiblesse à laquelle elle accusait Risk de céder trop souvent... Bon sang. Etait-il possible qu'elle dise vrai? Caché sous des couches et des couches de colère, de souffrance et de testostérone, il trouva enfin l'odeur... son odeur, tellement ressemblante qu'il était inutile de nier l'évidence. C'était son enfant.

Il ouvrit les yeux en comprenant.

— Ah, tu me crois maintenant, n'est-ce pas? ironisa

Lusse, les bras croisés sur la poitrine, comme une écolière.

Oui, il la croyait. Il avait finalement fait ce qu'il s'était juré de ne jamais faire, il avait condamné un autre cerbère à servir Lusse pour l'éternité. Il n'imaginait que trop bien Lusse, penchée sur le berceau — si tant est qu'elle lui ait jamais fait cet honneur — occupée à refermer le collier de servilité autour du cou de l'enfant. Sa mère morte, son père réduit en esclavage, qui aurait pu empêcher la sorcière d'agir à sa guise ?

— Alors, es-tu fier de ton petit garçon, Risk ? Il est très prometteur, tu sais. Pas aussi fort que son père, mais je me dis qu'avec un peu d'entraînement…

Elle sortit de sa poche le gantelet de diamant qu'elle avait utilisé un peu plus tôt sur Risk.

— … Il pourra se tailler une belle place. Peut-être même qu'il donnera naissance à d'autres cerbères. Je finirai bien par avoir un chiot qui ne soit pas assujetti à ces ridicules émotions humaines.

Elle s'agenouilla près du jeune mâle et passa le gantelet le long de son dos.

— Alors, revenons à nos moutons… Tu allais me dire ce qui était arrivé à cette sorcière que je t'ai demandé de retrouver ?

5

Kara s'assit sur ses talons. Elle contempla quelques-uns des objets que sa sœur avait glissés dans une boîte en plastique d'aspect quelconque. Il y avait là une petite statue de femme drapée dans une sorte de cape, un sac rempli de pierres polies, et — plus dérangeant — une dague à manche en os extrêmement bien aiguisée. Elle posa précautionneusement la dague sur le sol et poussa un long soupir. Dans quel pétrin Kelly était-elle allée se fourrer ? Elle continua de fouiller et trouva un morceau d'étoffe informe. Un bout de craie blanche s'en échappa et roula sur le ciment.

Bon, ça au moins ce n'était pas extraordinaire. Elle se leva pour aller récupérer la craie et discerna sur la droite le contour à peine visible d'un cercle sur le sol poussiéreux. Elle entreprit de le retracer sans vraiment y penser, passant en revue les événements récents.

Après la disparition de Risk, Kara s'était enfuie du chalet par la fenêtre. La porte semblait scellée ce qui l'amena à se demander comment elle s'était retrouvée *dans* le chalet. Tant de choses lui tournaient dans le crâne que les considérations les plus triviales passaient au second plan. Elle s'était glissée par l'ouverture et s'était réfugiée dans un petit appentis derrière le bâtiment. Elle y avait trouvé une Jeep, clés sur le contact. Le véhicule avait sans doute plus de vingt ans, mais il avait démarré du premier coup.

Elle avait écrasé l'accélérateur, empruntant la seule route visible, celle qui se terminait devant le chalet. Après une heure passée à cahoter le long de ce sentier, elle avait finalement rejoint une route bitumée et un choix s'était offert à elle : à droite ou à gauche. Ignorant l'endroit où elle se trouvait, elle avait pris sa décision à l'instinct. Jusque-là, ça l'avait pas mal aidé.

Vingt minutes plus tard, elle reconnut au bord de la route une station-service dans laquelle Kelly et elle s'étaient arrêtées un jour en partant en randonnée. Curieusement, elle n'avait aucun souvenir du sentier qui menait au chalet de Risk…

Elle prit un moment pour réfléchir, tout en essuyant sur son jean ses mains couvertes de craie.

Elle s'était échappée du chalet de Risk, mais les questions demeuraient. Qui était-il ? Comment s'était-elle retrouvée en sa compagnie et que lui était-il arrivé la nuit précédente ? En moins de vingt-quatre heures, elle avait été *a priori* témoin de la disparition inexpliquée de deux êtres vivants. Le chien, c'était une chose — elle était à moitié hystérique lorsque ça s'était produit, elle avait tout à fait pu l'imaginer — mais Risk ?

Elle reposa la craie et baissa les yeux sur la ligne blanche qu'elle venait de tracer. Est-ce qu'elle ne devrait pas appeler la police ? Il avait tout de même disparu !

Elle se passa la main sur le front, imaginant sans mal la conversation surréaliste qu'elle pourrait avoir avec un policier :

« C'est Kara Shane, la fille qui n'arrête pas de vous harceler au sujet de sa sœur disparue. Ce coup-ci, c'est la disparition d'un homme que je voudrais vous signaler.

Non, je ne connais pas son nom. Non, son adresse non plus, mais j'ai sa Jeep. Oh, comment je sais qu'il a disparu? Eh bien, il s'est évaporé sous mes yeux. »

Oui, ça marcherait, aucun doute là-dessus. Elle saisit la craie et en tapota l'extrémité sur le sol, laissant de petites marques blanches.

Il avait tout de même bel et bien disparu et, pour une raison qu'elle ne parvenait pas à s'expliquer, elle s'en sentait responsable. Est-ce qu'elle ne devait pas se mettre à sa recherche? De nouveau son regard se posa sur le sol et sur le cercle de craie, presque complet. *Termine ce que tu as commencé, Kara. Retrouve Kelly, ensuite tu te soucieras de Risk.*

Mue par une détermination toute nouvelle pour elle, elle se leva et retourna fouiller dans la boîte. Les affaires de Kelly avaient quelque chose de dérangeant, mais elles étaient son unique espoir d'apprendre ce qui lui était arrivé. Elle devait à tout prix étudier chacun de ces objets, quand bien même il se serait agi d'une tête réduite.

Sa main plongea dans le bric-à-brac et son regard revint malgré elle sur le cercle de craie incomplet. *Termine ce que tu as commencé.* Rien de tel qu'un petit geste symbolique pour la remettre sur les rails. Elle hocha vivement la tête, récupéra la craie et se prépara à finir au moins ça.

Risk ne parvenait pas à détacher son regard des gemmes incrustées dans le gantelet de Lusse. Est-ce que cette sorcière sadique comptait l'utiliser sur le gamin? Le gamin... Il jeta un œil en direction du jeune mâle à demi conscient. Non, c'était déjà un homme, il devait presque avoir vingt ans si sa mémoire ne le trahissait pas. Il était suffisamment vieux pour être considéré comme un adulte. Il était en âge de fonder une famille, ou d'embrasser l'une des rares carrières offertes aux cerbères affranchis. A moins qu'il ne décide de faire ce dont Risk avait toujours rêvé : faire sa vie parmi les humains. Venge était assez vieux pour tout cela, mais bien trop jeune pour être étendu aux pieds de Lusse, torturé à mort.

— Alors, Risk, où est ma sorcière?

Lusse agita la main, et un joyau se mit à luire d'un éclat, couleur rubis. *Dis-lui que tu as perdu sa trace, tiens-t'en au plan. Oublie le gosse, il n'est rien pour toi.* Lusse se mit à tapoter le dos de Venge de son doigt ganté aux gemmes saillantes.

— Je te l'ai dit, il y a eu des… imprévus, répondit Risk en s'astreignant à fixer Lusse et à ne pas poser les yeux sur son fils.

— Des imprévus?

Lusse enfonça son doigt dans le dos du jeune mâle. Le gantelet sembla s'éveiller à la vie. Les muscles de Venge se tendirent et il serra les dents. Maudite soit-elle! Que lui ferait-elle si Risk refusait de lui livrer Kara?

— Oui, des imprévus…

Lusse posa un second doigt sur l'échine de Venge. Elle l'effleura à peine, mais le message était clair…

— Mais rien d'insurmontable, ajouta-t-il.

— Je m'en remets entièrement à toi, tu le sais.

Lusse replia les doigts, rompant tout contact avec la peau du jeune homme.

— J'aimerais cependant, par pure curiosité intellectuelle, connaître la teneur de cet… imprévu.

Le soleil vint frapper le gantelet, envoyant des reflets arc-en-ciel danser dans toute la pièce. S'il ne trahissait pas Kara, s'il ne trouvait pas une excellente raison de ne pas l'avoir livrée à la sorcière, son fils en paierait le prix.

— Elle a une sœur jumelle, laissa-t-il tomber, conscient que Lusse prendrait la pleine mesure de cette révélation.

— Une jumelle ? répéta-t-elle en ôtant précipitamment le gantelet, contournant Venge avec hâte, mais c'est une merveilleuse nouvelle. Ont-elles eu vent de ta venue ?

— Non, non, rien de tout ça. C'est plus compliqué. La sœur est portée disparue.

Tout en lui apprenant la nouvelle, Risk songea que tout n'était peut-être pas perdu. Il lui restait une chance de tirer avantage de la situation et de gagner du temps.

— Disparue ? Elle s'est enfuie ?

— Non, je ne crois pas. Je pense qu'elle a été enlevée.

— Elle serait morte ?

— Pas selon Ka... pas selon sa sœur.

Une ombre suspicieuse passa sur le visage de Lusse, mais Risk durcit ses traits et poursuivit, sans y prêter attention.

— Je me doutais que tu voudrais les deux, mais pour retrouver l'une, j'ai besoin de gagner la confiance de l'autre. C'est à ça que je m'employais lorsque tu m'as rappelé.

— A établir une relation de confiance ? Et comment comptes-tu t'y prendre, mon petit mâle dominant ?

Risk la dévisagea, sûr de lui. Elle éclata de rire et un sourire sensuel se dessina sur ses lèvres. Elle s'approcha.

— Comment une petite sorcière humaine pourrait-elle résister à tes attraits ?

Risk retint son souffle, dissimulant le dégoût qu'elle lui

inspirait. Lusse posa sa main sur le ventre du cerbère, remonta le long de ses côtes et vint caresser son torse.

— Non, elle n'a pas la moindre chance.

Dès que Risk fut certain d'avoir établi une nouvelle, quoique fragile, relation de confiance avec Lusse, il se prépara à partir. Venge s'était assis, le regard dans le lointain. Risk percevait les émotions bouillonnantes sous son masque impénétrable : la colère et le ressentiment. S'il en avait l'occasion, il n'hésiterait pas à les égorger tous les deux, et Risk l'acceptait. Son fils avait été manipulé et maltraité, sa colère était saine et justifiée. Pourtant Venge ferait comme tous les autres cerbères, il ravalerait sa rancœur et en ferait usage pour devenir plus fort encore.

Les pensées de Risk se portèrent de nouveau sur Kara. Il songea à ce qu'il avait promis à Lusse et à la manière dont il lui faudrait composer pour parvenir à atteindre son objectif sans éveiller les soupçons. Lusse était désormais au courant de l'existence de la sœur jumelle, mais son ego démesuré l'avait amené à se laisser berner par Risk. Il restait à trouver un moyen d'éviter de la lui livrer.

Pour l'heure elle lui laissait suffisamment la bride sur le cou pour lui permettre d'arpenter librement le monde des hommes afin d'accomplir sa mission. Et puis il y avait Kara, et son espoir qu'il l'aide réellement à retrouver sa sœur, chose qu'il comptait bien faire. Il leur demanderait simplement une petite contrepartie avant de les libérer.

Mais chaque chose en son temps. Avant tout, il devait rejoindre Kara. Maintenant qu'il connaissait l'odeur de la jeune femme, et le parfum de ses émotions, il ne lui faudrait qu'un moment pour la localiser. Il inspira, se fia à ses sens pour le guider au plus près de sa cible et quitta la demeure de Lusse plein d'espoir.

Avant même d'avoir entièrement repris consistance, il commença à scruter la pièce. Elle était froide et plongée dans la pénombre. Des rémanences énergétiques flottaient dans l'air. Les poils de ses avant-bras se dressèrent et ses muscles se tendirent. Sans cesser d'examiner son environnement, il patienta le temps que ses sens et son corps s'harmonisent. Une fois matérialisé, il fit un pas en avant vers la porte sous laquelle filtrait un rai de lumière. Curieux. Si Kara était là — ce que ses sens lui confirmaient — alors pourquoi n'était-il pas apparu plus près d'elle, au moins dans la même pièce?

Quelque chose clochait. Il adopta immédiatement ses réflexes de chasseur et se fondit dans le décor. Il n'était pas invisible, mais à moins de le chercher ou de disposer soi-même de certains dons surnaturels, il demeurerait dissimulé... jusqu'à l'instant fatal. Ignorant ce qui l'attendait, il avança à pas comptés, prêt à bondir. Il se colla à la cloison sur le côté de la porte et la poussa du bout des doigts. La pièce était éclairée par une ampoule nue suspendue à un fil électrique. Juste en dessous, les membres épars comme une poupée désarticulée, Kara était allongée.

Une émotion étrange le saisit. L'image de la jeune femme pâle, étendue immobile sur le ciment froid le glaça d'effroi. Etait-elle morte?

Non, c'était impossible.

Il fallait qu'il en ait le cœur net. Il s'élança en priant pour qu'elle soit toujours en vie... et percuta une paroi de pure énergie. Il n'eut pas le temps de réfléchir avant d'être projeté en arrière sur la caisse en plastique dont il envoya le contenu rouler au sol. Etourdi, il s'assit le temps de reprendre ses esprits. Un moteur d'avion vrombissait sous son crâne et Kara n'avait pas bougé d'un centimètre, malgré le fracas du bris des objets hétéroclites qui parsemaient désormais le sol : statuettes, pierres, fragments de poteries.

Risk déploya ses sens en serrant les poings, à l'affût de celui qui avait tendu ce piège. Rien. Aucune persistance, aucune émotion. Personne n'était venu ici à part Kara depuis au moins une semaine, peut-être même davantage.

Heureux de constater qu'aucun danger immédiat ne les menaçait, il se focalisa sur Kara et sur cette force qui le maintenait si puissamment à l'écart. Il se remit debout et avança avec prudence. Son pied nu heurta quelque chose de petit et de dur, mais avant qu'il ne retire son pied, l'objet s'écrasa sous son poids et fut réduit en poudre blanche.

De la craie. Les sorcières utilisaient de la craie. Pour tracer des cercles. Des pièges. Son regard revint sur Kara et il remarqua pour la première fois le mince tracé blanc qui dessinait un cercle parfait autour d'elle.

Yggdrasil ! La sorcière avait installé un piège et s'y était retrouvée elle-même piégée. Avait-elle cherché à le capturer ? La rage bouillonna en lui. S'était-elle imaginée qu'il était une proie si facile qu'elle puisse ainsi jouer les saintes-nitouches. Avait-elle dissimulé ses véritables intentions avant de lui tendre un piège dans lequel même le plus simplet des idiots ne serait pas tombé ?

Les sorcières étaient toutes les mêmes. Il aurait dû le savoir. Tous ses espoirs de mettre à profit le pouvoir conjugué des jumelles s'envola.

Maintenant il allait devoir la sortir de son foutu

cercle, trouver sa sœur, et renoncer à avoir foi en cette engeance.

Un rugissement fit vibrer l'air et Kara s'éveilla en sursaut. Elle scruta les environs, essayant d'estimer sa situation. Le sol était dur et froid et elle avait une douleur à la hanche ; elle était restée dans cette position beaucoup trop longtemps. La lueur blafarde de l'ampoule au-dessus de sa tête lui rappela qu'elle se trouvait dans la cave où elle avait fouillé dans les affaires de Kelly.

Non, corrigea-t-elle, elle traçait un cercle sur le sol quand une décharge électrique l'avait frappée. Elle avait dû tomber et elle s'était cogné la tête.

Toujours sonnée, elle se redressa sur un genou et examina les environs. Risk était là, vêtu de la même façon que lorsqu'il avait disparu. Il avait les bras tendus, les doigts écartés, et semblait appuyer sur une sorte de mur invisible, essayant d'ouvrir une porte résistante... mais il n'y avait pas de porte. Elle écarquilla les yeux. Est-ce qu'elle avait une hallucination ?

— Efface la craie, ordonna Risk, les mâchoires serrées.

Kara se passa la langue sur les lèvres. Il était réel. Réel et en colère.

— Efface la craie, répéta-t-il.

Une veine se mit à pulser dans son cou et des filets de sueur dégringolèrent sur son torse nu. Kara recula, son cœur tambourinant dans sa poitrine. Mais qu'est-ce qu'il... ?

— Efface ! ordonna-t-il.

Kara le dévisagea, les yeux ronds. Elle était terrorisée et commençait à en avoir assez de cette sensation.

— Kara, dit-il encore.

Elle aperçut la craie. Quelle importance, c'était juste une marque sur du ciment. Et pourquoi pas, si ça pouvait le calmer... Elle s'humecta un doigt et le passa sur la ligne blanche à ses pieds. Le ciment apparut, et avec un juron étouffé, Risk laissa ses bras retomber le long de son corps.

— Qu'est-ce que tu fabriquais ? lui demanda-t-il d'une voix basse où perçait la colère, en détachant chaque syllabe.

L'air autour d'eux s'était épaissi en un écran gélatineux. Pouvait-elle lui faire confiance ? Elle se mit à genoux.

— Je vais bien, merci de t'inquiéter, répondit-elle le plus calmement possible en l'observant du coin de l'œil, tout en se passant une main dans les cheveux, avant de se relever.

Risk était tendu comme un arc, et ses yeux... elle refusait de le regarder en face. Ils devaient briller de façon bizarre, comme la première fois, mais si elle n'était pas de nouveau témoin du phénomène, elle pourrait encore se convaincre que ce n'était que l'effet de son imagination.

Quoi qu'il se soit passé dans cette cave, ça l'avait entièrement vidée de toute énergie.

— Je n'ai rien fait de mal, murmura-t-elle.

— Vraiment ? dit-il en se rapprochant et en franchissant le cercle brisé. A quoi joues-tu ?

— Un jeu ? Ah ce que tu peux être... !

Elle s'interrompit et prit le temps de l'observer. Son regard... Il y avait quelque chose de sauvage en lui qui incita Kara à reculer.

— Tu as trouvé de quoi t'occuper pendant mon absence, à ce que je vois, murmura-t-il en avançant d'un pas. La chaleur de son corps enveloppa la jeune femme. Ton piège était bien pensé.

Un piège? Kara se passa les doigts sur les sourcils et ferma les yeux. Elle n'arrivait pas à fixer ses idées et les battements de son cœur devenaient assourdissants, couvrant même la voix de Risk. Il l'accusait de quelque chose, mais de quoi?

Elle ouvrit la bouche pour lui dire qu'elle ne comprenait rien à ce qu'il lui racontait, mais elle se sentit partir et ses jambes se dérobèrent sous elle.

Bon sang! Elle était en train de s'évanouir. La colère le quitta brusquement et il rattrapa la jeune sorcière in extremis avant de la prendre contre lui.

Les yeux de la jeune femme se fermèrent, ne laissant plus paraître qu'un mince filet bleuté. Il posa sa joue contre son front pâle. Elle était froide. Beaucoup trop froide.

Il assura sa prise, fit basculer la tête de Kara sur son bras et lui saisit les jambes de l'autre, cherchant du regard un endroit où la poser. Elle bougea légèrement et poussa un infime soupir. Le nœud qu'il avait à l'estomac et dont il avait ignoré l'existence jusque-là, disparut. Elle allait bien, elle était simplement épuisée. C'était le contrecoup du sortilège, la barrière invisible avait consumé toute son énergie. Lusse avait dit qu'elle serait plus faible sans la présence de sa sœur, et elle avait dit vrai.

Elle était faible, fragile et seule.

Risk la serra plus fort contre son torse. Sa chevelure était entortillée autour de son visage et sans réfléchir,

Risk y plongea et huma son parfum féminin, floral. Les fragrances lui firent tourner la tête. Il lui effleura les yeux du bout de son nez, descendit encore et laissa ses lèvres se poser sur les siennes.

6

Kara sentit une douce chaleur l'envahir, la réchauffer comme un bon whisky un soir de décembre. Une main d'homme lui caressait les cheveux et des lèvres étaient tendrement posées contre les siennes. Un baiser. Elle était en train d'embrasser quelqu'un. Risk, se dit-elle dans un brouillard cotonneux. Une petite voix dans son esprit lui soufflait que cela aurait dû lui poser problème, qu'elle aurait même dû être terrorisée. Il était puissant, dangereux, et c'était un inconnu, elle ne pouvait pas lui faire confiance.

Elle sentit les lèvres de Risk descendre dans son cou, laissant un sillon incandescent qui lui mit le feu au ventre. Il passa sa langue humide sur le contour de son oreille. C'était chaud, excitant. Elle tendit les jambes, se remit debout et se colla contre lui, jeta un bras autour de son cou. Sa poitrine vint s'écraser délicieusement contre son torse nu. Elle passa une main sur ses muscles parfaitement dessinés. Sa peau était brûlante, presque fiévreuse. Elle le serra un peu plus fort, laissant sa chaleur la contaminer. Elle se sentit soudain très à l'étroit dans son T-shirt, elle n'appréciait pas que le fin tissu sépare ainsi leurs peaux.

Risk poussa un soupir d'aise et murmura quelques mots dans une langue inconnue. Il lui saisit la nuque et lui enfouit le visage dans son cou, pressant contre son pubis la raideur de son érection. *Recule*, lui souffla la petite voix, *recule tant que tu le peux encore*. Risk se cambra pour lui faire sentir encore mieux la bosse qui déformait son pantalon. Les muscles intimes de la jeune femme se contractèrent et une agréable moiteur la gagna. Son esprit refusait de céder à la tentation, mais son corps ne demandait que ça.

Elle plia la jambe droite, la passa sur la hanche de Risk et repoussa la petite voix au fond d'une crevasse dont elle espérait ne jamais la voir ressortir.

Risk avait la jambe droite de Kara posée contre sa hanche et les effluves de son parfum lui emplissaient les narines. Le grain de sa peau de satin, le murmure d'extase qui s'échappait de ses lèvres lui surchargeaient les sens. Il la souleva de terre et la fit aller et venir contre son sexe. Le désir de la plaquer contre le mur et d'enfouir son sexe dans son intimité chaude et humide était presque insoutenable.

Le désir. Il chassa l'image de son fils meurtri abandonné sur le sol. Le désir lui avait déjà fait perdre tout contrôle.

Ses instincts étaient chauffés à blanc et une chaleur de fournaise roulait le long de ses veines, l'incitant à n'obéir qu'à ce besoin irrépressible de la posséder, de se fondre en elle, de plonger dans la douceur de son corps. Elle était menue, délicate, très différente de la mère de Venge, et elle le mettait dans un état d'excitation qu'aucune femelle n'avait jamais réussi à provoquer avant elle. Pourrait-elle même seulement survivre s'il laissait libre cours à sa passion, au plus fort de l'étreinte? Kara le ceintura de sa jambe libre et s'accrocha à lui, plaquant contre lui son pubis et sa poitrine. Elle émit un nouveau gémissement passionné et baissa la tête pour lui embrasser le menton.

Parcouru d'un frisson d'excitation, Risk ferma les yeux. Kara prit le lobe de son oreille entre ses lèvres et le suça avec avidité. Risk tourna la tête et lui emprisonna la bouche d'un baiser. Il vit alors les yeux de la jeune femme s'illuminer d'une teinte pourpre fluorescente ; elle aussi était en train de perdre le contrôle.

Incapable de résister, il plongea sa langue dans la bouche de la jeune sorcière, sourd aux mises en garde de sa conscience. Il savait ce que cela coûtait de perdre pied, elle non. Elle n'avait aucune idée du pouvoir qui était le sien.

Elle ne sait pas ce qu'elle fait, se dit-il. Elle avait bel et bien tracé un cercle au sol, mais ce n'était pas un geste réfléchi, elle avait fait de la magie à son insu et en avait été la première victime. Kara était une créature innocente, lui non.

Il l'embrassa de plus belle, incapable de lui résister, et elle lui répondit en laissant courir ses ongles sur son torse, jusqu'à la ceinture de son jean. L'érection sous la toile était massive. Il frémit d'anticipation. Il était prêt, plus que prêt même, à faire l'amour à cette petite sorcière. *Sa* petite sorcière. Quel sort lui avait-elle donc jeté ?

Haletant, il lui saisit les bras et dégagea sa bouche. La poitrine de Kara se soulevait au rythme de son souffle court. Dans son regard violet, il lut l'incompréhension et la frustration.

*
* *

Elle fixa Risk, l'esprit embrumé par la passion, saisie par une excitation telle qu'elle n'en avait jamais connue. Elle se frotta contre lui, le désir chevillé au corps. L'idée de faire l'amour avec lui, là, sur le sol de ciment, de se laisser complètement aller l'avait emplie d'un sentiment de puissance parfaitement inédit. Pourquoi s'arrêtait-il ?

Il la retint un instant contre lui. Elle sentait sa poitrine se soulever au rythme de son souffle, son cœur battre. Et puis soudainement, il la repoussa et s'éloigna à l'autre bout de la pièce. Il se tint là un moment en lui tournant le dos, les mains plaquées contre le mur.

— C'est quoi ça ? demanda-t-il en désignant les affaires de Kelly répandues sur le sol.

Kara cilla, le cœur battant à tout rompre, avec encore sur les lèvres le goût de ses baisers. Qu'est-ce qui était en train de se passer ?

— Euh... ce sont les affaires de Kelly, hasarda-t-elle.

Elle détestait cette image de faiblesse qu'elle renvoyait, elle aurait voulu paraître forte, comme quand elle tenait Risk contre elle. Elle fit un pas dans sa direction et il se tourna aussitôt vers elle, s'agenouilla, ramassa une statuette que Kara avait remarquée un peu plus tôt.

— Freya, annonça-t-il en passant le pouce sur la figurine de pierre.

— Quoi ?

Kara observa la statue, les sourcils froncés.

— Rien, répondit-il en rangeant la statue dans la boîte. Est-ce que tu as appris quelque chose ici ?

Et c'est tout ? songea-t-elle. Elle était apparue mystérieusement chez lui, après quoi il s'était volatilisé sous ses yeux et finalement ils s'étaient embrassés à pleine bouche avec une passion qu'elle ne se connaissait pas, tout ça pour qu'il lui demande si elle avait appris quelque chose en venant ici?

— Pourquoi est-ce que tu ne te livrerais pas un peu, toi aussi, hein? répliqua-t-elle sur un ton qui lui fit lever les yeux.

Elle venait de le prendre au dépourvu et elle-même était surprise, à dire vrai, mais elle préférait éviter d'analyser ce soudain accès de courage.

— Qui es-tu? lui demanda-t-elle.

Il se raidit et le collier d'argent autour de son cou se déplaça, révélant l'endroit où se trouvait la blessure qu'il avait reçue la veille. Où *aurait* dû se trouver la blessure, car elle n'y était plus. A cet endroit sa peau était intacte.

— Où est passée ta blessure! s'écria-t-elle encore.

Risk baissa la tête, une dague à la main.

— Je me présente, Risk Leidolf, répondit-il en levant un sourcil, et mes blessures guérissent d'elles-mêmes.

Il fit jouer la lame entre ses doigts.

— Du moins, certaines blessures, se reprit-il.

— Mais...

La plaie datait de moins de vingt-quatre heures, personne ne pouvait cicatriser à cette vitesse... L'épuisement gagna Kara. Elle se pinça l'arête du nez entre deux doigts. Il s'était passé trop de choses incompréhensibles et elle n'était pas certaine de pouvoir y faire face et les analyser sans perdre l'esprit au passage. Autant décider de se laisser porter par les événements en priant pour que tout se termine bien.

— Risk Leidolf? répéta-t-elle, c'est quoi, ça, suédois?

— Norvégien, répondit-il en lâchant la dague dans la boîte, aux côtés de la statue.

— Oh… elle se passa la langue sur les lèvres, sans trop savoir quoi ajouter. Et donc l'autre nuit, tu m'as… sauvée ?

Il releva la tête une seconde avant de continuer sa fouille de la boîte, dont il sortit des pierres.

— On peut dire ça, oui.

— Et le chien ? demanda Kara en s'essuyant les mains sur son jean, est-ce que tu l'as vu toi aussi, il était bien là ?

— Oui, je l'ai vu.

Kara poussa un soupir de soulagement. Son rêve/cauchemar — elle n'avait pas encore décidé dans quelle catégorie le ranger — était donc en partie réel.

— Et tu m'as ramenée dans ton chalet parce que… ?

Il leva les yeux au plafond, songeur.

— Parce que.

Voilà qui répondait à sa question, d'une certaine façon. Kara bascula son poids d'une jambe sur l'autre.

— Et la nuit dernière… ?

— Quoi, la nuit dernière ?

— Tu as, comment dire… disparu !

Il ramassa un bol de bois, le retourna et le remit dans la caisse.

— Oui, c'est vrai. Désolé, mais ce n'était pas de mon fait.

Une vague de colère la saisit.

— Pas de ton fait ! Mais tu as *disparu* !

Il passa sa main sur le sol, ramassant au passage quelques pierres polies et les fit tomber une à une dans la caisse.

Que pouvait-elle ajouter ? Il se comportait comme s'il était simplement sorti de la pièce pendant qu'elle regardait ailleurs, ce qui était impoli, certes, mais qui ne justifiait pas un tel émoi. Bon sang. Elle n'arrivait pas à se faire à tout ça. Peut-être que la posture du « je me laisse porter et on verra bien » n'était pas si mauvaise finalement, du moins le temps qu'elle se retrouve seule pour réfléchir.

— J'ai trouvé ça, annonça-t-elle.

Elle traversa la pièce d'un pas mal assuré et lui tendit le petit carnet noir qu'elle avait découvert dans la boîte de Kelly. Elle l'ouvrit et examina la première page pour la cinquantième fois.

— On dirait une liste de noms.

— Vraiment ? Risk s'approcha. Quel genre de noms ?

Kara le rejoignit en tenant le carnet devant elle.

— Je n'en sais rien, des noms.

Son regard passa des pieds nus de Risk à son torse. Où étaient donc passés ses vêtements ? Le regard intense du cerbère glissa du carnet au visage de Kara qui s'humecta une nouvelle fois les lèvres. Elle vit une veine pulser à la base de son cou et subitement ses réponses laconiques et le fait qu'il n'ait ni chemise ni chaussures devinrent secondaires, elle voulait poser sa bouche sur cette veine et sentir le goût de sa peau.

— Tu veux y jeter un coup d'œil ?

Il tendit la main et Kara commença à y glisser la sienne, avant de se rappeler qu'elle devait lui confier l'objet.

— Oh, le voici, ajouta-t-elle avec gêne.

Les palpitations au creux de son cou s'intensifièrent tandis qu'il parcourait la liste.-

— Des humains !

— Euh... oui ?

Voilà qu'il recommençait, elle allait vraiment finir

par prendre peur et s'enfuir plutôt que de rester plantée là, hypnotisée par ses muscles ou par la taille basse de son jean.

Il reposa le carnet et releva les yeux vers elle. Un silence épais tomba sur la pièce.

Kara tendit la main pour récupérer l'objet et ses doigts rencontrèrent la toile du jean. Les yeux de Risk s'illuminèrent et la jeune femme retint son souffle. La tension entre eux était palpable. Il lui saisit la main avant qu'elle ait eu le temps de la retirer. Ses doigts étaient chauds, vigoureux, mâles. Ils restèrent ainsi, immobiles. Devait-elle s'enfuir ou l'emprisonner entre ses cuisses et conclure ce qu'ils avaient entamé un peu plus tôt.

Risk lui caressa une phalange avec un regard ému.

Kara ouvrit la bouche, sans trop savoir ce qu'elle allait lui dire… et le téléphone sonna, brisant le charme.

Risk inspira profondément et il sortit de la pièce sur les talons de Kara. Les marches poussiéreuses craquèrent sous son poids tandis qu'il remontait de la cave.

— Oui, c'est Kara, l'entendit-il répondre.

Elle était dans la cuisine, un téléphone sans fil coincé contre la joue.

Le plancher de bois poli et la table peinte en blanc donnaient une touche agréable et féminine à la pièce. Une odeur étrange, où se mêlaient l'arôme de cannelle, de café, et le parfum de Kara, flottait dans l'air.

— Non, je n'ai pas eu de ses nouvelles.

Kara leva les yeux vers Risk et lui fit signe de s'asseoir.

Il tira la chaise en considérant, intrigué, le coussin jaune poussin posé sur l'assise.

— Non, je comprends, dit Kara en se tournant vers le mur et en se massant la nuque. Je… j'arrive.

Elle raccrocha l'appareil et annonça :

— Il faut que j'y aille.

Sans un regard pour Risk, elle se dirigea vers une petite commode dont elle ouvrit le tiroir.

— Où est-ce que? ... Ah zut!

Elle leva les yeux vers lui avec colère.

— Il y a un problème? lui demanda-t-il en s'accoudant nonchalamment à la commode peinte de couleur vive, ignorant de son mieux la tempête émotionnelle qui faisait rage autour de la jeune femme.

— Oui. Non, dit-elle en secouant la tête. J'en sais rien. Ma voiture, où est-elle?

— Ta voiture?

Si elle avait une voiture, il l'ignorait. La plupart de ses proies avaient des soucis autrement importants que de savoir où elles s'étaient garées.

— Bon sang, elle doit encore être devant le bar. A moins qu'on ne me l'ait fauchée, murmura-t-elle pour elle-même. Je vais devoir emprunter la tienne, enchaîna-t-elle en relevant brusquement la tête.

Elle disparut dans le couloir et il l'entendit fouiller dans un tas de clés. Encore une femelle hystérique. Il lui avait déjà prêté sa Jeep une fois, pour échapper à Lusse, mais qu'elle ne s'imagine pas pour autant qu'il allait la laisser jouer avec à sa guise. Il poussa un soupir et sortit de la pièce à sa suite.

*
* *

Kara observa Risk dans le reflet du rétroviseur; elle n'osait pas le regarder en face. Il avait insisté pour l'accompagner jusqu'à la morgue, bien qu'il était à moitié nu. Il lui avait pris les clés de contact des mains et l'avait précédée en direction de la voiture. Kara l'avait suivi comme un mouton, sans trop savoir ce qui l'attendait là-bas.

Quand l'inspecteur l'avait appelée, elle avait failli perdre pieds, puis elle s'était concentrée sur le trajet, priant pour qu'il ne s'agisse pas de Kelly. Dix minutes avaient passé, mais son cœur battait toujours aussi vite et elle ne tenait pas en place sur son siège. Elle avait longtemps attendu un appel de la police, mais pas *ce* genre de coup de fil lui annonçant qu'ils avaient trouvé un corps qui correspondait au signalement de sa sœur.

Un corps. Un corps, se répétait-elle en boucle.

Le soleil tomba sur son visage, et malgré l'air frais au-dehors, elle sentit la sueur lui couler sur la nuque et entre les seins. Dehors des gamins dévalaient une colline enneigée sur des traîneaux improvisés.

Pas Kelly, ça ne devait pas être Kelly, ça ne pouvait pas être Kelly. La Jeep aborda la courbe menant au perron de l'hôtel de police, ses pneus écrasant la neige à demi fondue.

Risk se tourna vers elle. Elle ferma les yeux et défit sa ceinture de sécurité. C'était le moment de s'assurer qu'ils avaient tort.

Risk avait déposé Kara devant la porte, puis il était allé se garer sur le parking. Lorsqu'il la rejoignit à l'intérieur, il portait une chemise en coton et une paire de bottes dont Kara ne prit pas la peine de lui demander la provenance. Elle avait d'autres soucis en tête.

L'inspecteur Poulson les attendait à l'accueil. Kara avait déjà fait sa connaissance, deux jours après avoir signalé la disparition de Kelly. C'était un homme élancé et séduisant, le genre de type à courir le marathon. Il sourit en voyant Kara, chassa une mèche rebelle et lui tendit la main. Risk s'avança avant qu'elle n'ait eu le temps de la saisir. Le sourire du policier se figea, laissant place à la curiosité.

— Vous avez quelque chose à nous montrer? commença Risk, ignorant la main tendue.

L'inspecteur Poulson considéra Risk et baissa la main.

— Vous êtes aussi ici pour l'identification?

— Effectivement.

Poulson lui adressa un regard soupçonneux, puis il haussa les épaules et se tourna vers Kara.

— Vous êtes prête? Ça ne va pas être une partie de plaisir… Cette femme… elle n'a pas eu une mort paisible.

Kara inspira par le nez, retint son souffle.

— Je suis prête, dit-elle enfin.

Il fallait bien y aller, non? On n'était jamais préparé à affronter ce genre de situation de toute façon. Elle croisa de nouveau le regard de l'inspecteur et hocha vivement la tête.

— Je suis prête, répéta-t-elle.

Poulson sembla sur le point d'ajouter quelque chose mais se ravisa.

— Dans ce cas suivez-moi, autant que ce soit fait le plus vite possible.

Un ascenseur les mena au niveau inférieur. Kara

fixa les portes argentées d'un regard absent. Lorsque le tintement annonçant l'étage retentit, elle ne réagit pas. Poulson se racla discrètement la gorge et Risk lui posa une main amicale dans le dos. Elle poussa un profond soupir et sortit de l'ascenseur.

Ils se tenaient au milieu d'un couloir étroit. Des marques noires ornaient ici et là les murs blancs. L'air était frais et Kara resserra sa veste en espérant que Risk lui poserait de nouveau la main sur le dos ou qu'il passerait son bras autour de ses épaules. Si seulement quelqu'un pouvait venir lui dire qu'il s'agissait d'une erreur, avant de la raccompagner jusqu'à l'ascenseur. Mais au lieu de ça, l'inspecteur Poulson les présenta à un homme d'âge mûr en blouse blanche.

— Dan est un de nos experts scientifiques, c'est lui qui va vous accompagner à l'intérieur, leur annonça-t-il en leur confiant des masques chirurgicaux. C'est pour l'odeur, précisa-t-il en s'excusant.

Risk refusa le masque, mais Kara prit le sien d'une main tremblante. L'expert ouvrit la porte avec un regard peiné et les précéda à l'intérieur.

Même à travers le masque, l'odeur frappa Kara. Un mélange désagréable de soufre et d'ammoniaque. Ses boyaux se révulsèrent et ses yeux commencèrent à la piquer. Elle cilla pour chasser les larmes et regarda autour d'elle en priant pour ne rien voir qui lui rappellerait Kelly.

C'était une pièce minuscule, froide et stérile. Il y avait trois tables un peu plus loin, dont l'une était occupée par un corps recouvert d'un drap blanc. Leur guide s'avança dans cette direction. Kara prit une inspiration hachée et força ses pieds à la porter. Elle serra la main de Risk dans la sienne, un peu plus fort à chaque pas.

— Vous êtes prête ? demanda le technicien en saisissant le drap avec un regard plein de sollicitude.

La question s'adressait à l'inspecteur, même si c'était Kara qu'il regardait. L'expert fronça les sourcils à l'intention de Risk afin qu'il se tienne prêt à soutenir la jeune femme.

Risk s'approcha d'elle, son corps massif se dressant comme un rempart destiné à la protéger de ce qu'elle verrait peut-être sous le drap.

Kara fixa la table devant elle et hocha vivement la tête. C'était l'heure de vérité. Il fallait qu'elle sache. Est-ce que c'était vraiment Kelly, là-dessous ?

L'expert ramena le drap et recula d'un pas, les yeux fixés sur le sol. Kara ne prêta pas attention à son manège, seul comptait pour elle le corps allongé là. Elle retint son souffle en observant fugitivement cette chose qu'elle espérait ne pas être sa sœur. Elle ferma les yeux et compta jusqu'à dix en s'adossant contre la rassurante chaleur de Risk. Il fallait qu'elle le fasse, il fallait qu'elle sache.

C'était une femme d'à peu près sa taille — la même taille que Kelly donc — mais à l'exception de cette information, il était impossible de savoir à quoi ressemblait l'inconnue de son vivant. Le policier avait raison, elle n'avait pas eu une mort paisible.

Le corps était noir, mais ce n'était pas sa couleur naturelle. Il était brûlé. Kara s'efforça avec peine d'identifier les vêtements qui avaient presque entièrement fusionné avec la chair, rendant l'identification quasi impossible. Les quelques cheveux qui restaient n'étaient plus que des amas informes, ébauches de mèches noircies. Là encore, impossible de déterminer leur couleur.

Et puis il y avait l'odeur, abominable au-delà des mots.

Les yeux de Kara s'emplirent de nouveau de larmes. L'odeur était plus forte encore à cet endroit, mais il y avait autre chose. Elle essayait d'imaginer cette pauvre chose noire et racornie à l'époque où elle était pleine de vie, dansant en boîte de nuit, ou distribuant les coups à un cours de boxe. Ce corps carbonisé ne pouvait pas avoir été celui de sa sœur

— Comment... est-elle morte ? demanda-t-elle malgré elle.

L'inspecteur s'approcha, les yeux rivés sur la partie du cadavre encore couverte.

— Nous l'ignorons. On pense à un choc électrique, peut-être la foudre, mais nous n'avons trouvé aucun point d'entrée. Certains os ont été brisés, mais d'après le légiste, cela pourrait être dû à la projection qu'aurait subie le corps juste après l'électrocution. J'ai eu le cas d'un gamin, projeté à plus de...

Risk s'avança et fusilla le policier du regard, qui interrompit aussitôt son monologue. Poulson serra les mâchoires avant de poursuivre.

— Je me rends bien compte que c'est presque impossible à déterminer, mais je suis tenu de vous poser la question : est-ce qu'il s'agit de votre sœur ?

Kara contempla le corps encore une minute avant de demander :

— Est-ce que je peux la toucher ?

L'inspecteur, surpris, haussa les sourcils.

Kara ne savait pas ce qui la poussait à le faire, mais pour une raison qu'elle ne parvenait pas à s'expliquer, c'était la seule façon d'avoir une vraie certitude. Est-ce que c'était vraiment... Kelly ?

Poulson l'y autorisa d'un léger mouvement de tête.

Kara serra les poings et se mordit la lèvre derrière

son masque. Elle s'éloigna de la chaleur rassurante de Risk et s'approcha du corps. Le cerbère posa ses mains sur les hanches de la jeune femme pour la retenir.

— Il y a d'autres façons d'avoir des certitudes, tu n'es pas obligée de le faire.

Il avait raison. Même brûlé comme elle l'était, les experts scientifiques pouvaient encore faire un prélèvement ADN. Kara n'était pas une spécialiste dans le domaine, mais elle savait que c'était du domaine du possible, seulement il faudrait attendre pour avoir les résultats. Et puis elle savait qu'elle n'accepterait jamais cette horrible réalité, à moins de s'y confronter directement, là, tout de suite.

Une main sur le masque qui ne parvenait plus complètement à masquer l'odeur, elle posa l'autre sur le front calciné de la femme.

Rien. Et puis soudain des souvenirs affluent. Elle est dans l'esprit de quelqu'un. Celui de la femme? Elle est assise devant son ordinateur, paniquée, effrayée. Kelly est là en train de prendre des notes sur le calepin que Kara a découvert à la cave. Des personnes ont disparu, mais elles les retrouveront, la femme a toute confiance en Kelly pour cela. Elle ne peut se fier à personne d'autre, de toute façon. Elle se retrouve ailleurs. Elle est seule et calme et elle manipule une statue, un calice et des pierres, ceux-là même que Kara a trouvés parmi les affaires de Kelly. Encore un nouvel endroit, sombre et enfumé. Un couteau sur sa gorge et quelqu'un qui lui chuchote quelque chose à l'oreille. Elle est terrorisée, sans voix, sans défense.

Kara s'accroche à la vision, se concentrant pour ne rien oublier. Cette femme connaît Kelly et elle s'est trouvée dans un lieu que Kara a déjà fréquenté. Mais quel était cet endroit?

Juste au moment où la réponse semblait s'offrir à elle,

elle fut ramenée dans un monde d'odeurs et de sensations. La puanteur était intolérable et une douleur violente pulsait derrière ses pupilles en une vague puissante. Agressée de toutes parts, elle finit par lâcher prise et poussa un hurlement assourdissant.

7

Le souffle court, Kara comprit que quelqu'un l'avait tirée en arrière, rompant le contact avec ce cadavre qui avait un jour été une personne bien vivante, une personne que des gens avaient aimée, une personne qui n'était pas Kelly.

Dieu merci, ce n'était pas elle.

— Qu'est-ce qui s'est passé? lui demanda Risk en l'attrapant par les épaules, si fort qu'il lui fit presque mal.

La jeune femme sursauta et leva les yeux vers lui. Il y avait quelque chose dans son regard qu'elle ne parvenait pas à définir. Etait-ce de la colère, de l'inquiétude?...

Poulson s'approcha, les sourcils froncés. Risk laissa échapper un grondement bas et vint se placer à côté de la jeune femme. Kara réalisa qu'elle tremblait.

— Ça va aller? lui demanda l'inspecteur avec anxiété.

Kara ferma les yeux et se félicita de ne pas être tombée dans les pommes; une mauvaise habitude qu'elle avait là. Il fallait qu'elle soit forte. Kelly était toujours là, quelque part, et elle devait la retrouver.

Elle posa la main sur la poitrine de Risk et recula d'un pas. Lorsqu'elle fut certaine de pouvoir se tenir debout sans aide, elle s'adressa aux trois hommes.

— Ça va, je vais bien, murmura-t-elle, la gorge serrée.

Les trois paires d'yeux restèrent fixées sur elle. Risk laissa échapper un nouveau grondement et s'approcha d'elle.

— Non vraiment, je t'assure, je vais bien, répéta-t-elle en tendant le bras, je suis juste un peu sous le choc, c'est tout.

Elle se tourna vers l'expert et enfonça ses mains tremblantes au fond de ses poches.

— C'est normal de réagir comme ça, non? l'interrogea-t-elle.

— Bien entendu, je me ferais plus de souci... il se retourna, comme s'il était surpris de constater que le cadavre était toujours là et ramena le drap sur le corps... si une telle expérience vous laissait indifférente! Vous vous en sortez très bien.

Kara lui adressa un sourire reconnaissant. Elle appréciait son soutien, même si elle savait que ce qu'elle venait de vivre n'avait rien de naturel.

— Qu'est-ce qui s'est passé en bas? lui demanda Risk dès qu'ils furent remontés à bord de la Jeep.

— Rien, c'est juste difficile, expliqua Kara en passant un doigt sur la ceinture de sécurité d'un air absent.

— Alors ce n'était pas ta sœur?

Kara se mordit la lèvre.

— Non, ce n'était pas Kelly, dit-elle, les yeux écarquillés.

Risk l'observa un moment. Elle mentait. Il s'était produit quelque chose lorsqu'elle avait touché le corps. Quelque chose qui l'avait terrifiée. Elle prétendait que ce n'était pas sa sœur et il la croyait volontiers, cependant...

Il fit une marche arrière et sortit du parking. Il se

rapprochait du but, il le sentait, et la sœur de Kara était là, quelque part. Il avait encore une chance de lui mettre la main dessus, pour son propre profit et — il considéra la petite forme menue assise à côté de lui — pour Kara. Il commençait à s'attendrir. Non, il fallait s'en tenir au plan, agir dans son propre intérêt avant tout. Il sauverait Kelly, mais pour servir *son* dessein. Si cela évitait à Kara de vivre un deuil, tant mieux pour elle.

Il l'observa encore, frêle et fatiguée, les mains posées sur les genoux, ses petites mains pâles et délicates. Elle était vraiment menue, comment pourrait-elle se défendre contre Lusse une fois qu'il se serait libéré du pouvoir de la sorcière, une fois qu'il serait parti ?

Elle aurait sa sœur pour veiller sur elle, se rappela-t-il. Si à elles deux elles étaient capables de le libérer, elles devaient tout de même pouvoir se protéger, non ?

— Qu'est-ce qui lui est arrivé ? demanda Kara d'une voix tremblante.

Risk l'interrogea du regard, surpris par sa question.

— Cette femme, continua-t-elle en désignant le bâtiment d'un mouvement de tête, qu'est-ce qui lui est arrivé ?

— Je n'en sais rien.

Il disait la vérité. Il n'avait jamais vu un corps dans un tel état. Il supposait que c'était l'œuvre d'une sorcière, mais sans en être certain, maintenant que son souffle de vie l'avait quitté. Il y avait des indices, bien sûr, le parfum du flux magique qui lui avait ôté la vie, notamment.

— L'inspecteur Poulson, dit-il pris d'une soudaine impulsion, tu crois que…

Elle tourna vers lui des yeux plein d'espoir.

Il serra les doigts sur le volant. Inutile de lui mentir, il était temps que sa petite sorcière apprenne la vérité, en partie, du moins.

— On rentre à la maison. Je crois qu'il faut qu'on parle.

Kara étudia le profil de Risk à la lueur des phares d'un autre véhicule. Il voulait discuter. Kelly lui avait un jour confié que ce n'était jamais bon signe de s'entendre dire, il *faut qu'on parle*, encore moins venant d'un homme.

Ils se garèrent devant la maison que Kara et sa sœur partageaient. Des pierres plates dessinaient un chemin menant à la porte d'entrée. Kara descendit de voiture et avança de pierre en pierre. Le thym qu'elle avait planté l'été passé était encore bien vivace, constata-t-elle en chassant du pied le fin tapis de neige. La nuit était fraîche mais agréable, rien à voir avec le soir où elle avait rencontré Risk et les chiens. Elle prit son temps pour remonter l'allée, cueillant au passage une feuille d'érable sèche.

Elle avait le sentiment qu'une fois la porte franchie, Risk lui révélerait des choses qui changeraient à jamais son existence. Lorsqu'il pénétra dans la maison, Kara avait déjà allumé un feu de cheminée et elle entrait dans le salon, une bouteille de whisky et deux verres à la main. Elle était pieds nus et elle ondulait des hanches. Risk eut un réflexe de méfiance immédiat.

— Whisky? proposa-t-elle en lui tendant un verre.

Il fit non de la tête. Avec un haussement d'épaules, elle posa les verres sur un vieux coffre qui servait de table basse et remplit l'un d'eux du liquide ambré.

— Inutile de le garder pour plus tard, pas vrai? Et puis ça fera peut-être mieux passer ce que tu as à me dire.

Elle leva le verre devant ses yeux et contempla les

flammes au travers avant de le porter à ses lèvres. Elle avala une longue gorgée et le reposa sur la table basse.

— O.K., discutons.

Elle faisait la bravache, mais son anxiété emplissait la pièce. Risk s'avança, magnétisé par ses émotions. Il s'arrêta près de la table où était posée la bouteille. Il devait garder la tête froide et l'esprit clair s'il voulait parvenir à la convaincre de l'aider en échange de son assistance. Il saisit la bouteille, emplit le second verre de whisky et attendit.

Elle lui lança un regard interrogateur, se dirigea avec nonchalance vers le canapé avant de s'y installer, les jambes croisées, son verre posé sur le genou.

— Alors je suis folle, c'est ça?

Il renifla l'alcool. Le mélange de pin et d'amande lui agressa les sens. Il reposa le verre.

— Folle?

— Ouais, folle, répéta-t-elle en avalant une nouvelle gorgée. Tu te souviens de cette première nuit; les chiens. Tu m'as juste dit que tu les avais vus, toi aussi, mais tu ne m'as jamais expliqué comment je m'étais retrouvée chez toi, comment on avait échappé à ces molosses géants. Rien que ça c'est complètement dingue. Je ne m'explique même pas ce que je fais ici avec un parfait étranger. Tu m'as promis de m'aider et je me suis jetée sur l'occasion. Ma sœur a disparu depuis à peine une semaine et je me mets à faire confiance à n'importe qui, si ça c'est pas dément…

Elle termina son whisky d'une seule gorgée et ajouta :

— Et puis cette femme, tout à l'heure? Je l'ai touchée et j'ai vu des choses, des épisodes de sa vie. J'ai ressenti sa joie, sa plénitude… sa terreur. Je crois… je crois bien que je l'ai vue mourir.

Ses yeux s'arrondirent et son anxiété grimpa d'un cran. Son regard se porta sur Risk et sur le verre plein qu'il lui tendit sans un mot. Elle le prit, les doigts agités d'un tremblement imperceptible.

— Kara…, commença-t-il.

Elle porta le liquide ambré à ses lèvres, contempla quelques instants Risk par-dessus l'arc du verre, puis avala l'alcool en fermant les yeux.

— Tu n'es pas folle, Kara.

— Vraiment ? Eh bien me voilà soulagée…, gloussa-t-elle d'une voix cassée. Tu l'ignores, mais je déteste les chiens. L'un d'eux a bien failli me tuer quand j'étais gosse. Ma meilleure amie est morte cette nuit-là. Depuis, chaque fois que je vois un truc bizarre, je mets ça sur le compte du stress post-traumatique, comme on dit. Ça paraît logique, non ?

Elle détestait les chiens et elle avait vu sa meilleure amie mourir sous ses yeux, tuée par l'un d'eux. Risk accusa le coup de la révélation. Comment avait-elle survécu à l'attaque de *deux* cerbères ?

— Risk ? la voix de la jeune femme le fit sursauter, est-ce que tu vas te décider à me dire ce qui se passe ? Tu le sais, toi, pas vrai ?

Il embrassa la pièce d'un regard circulaire, cherchant malgré lui une issue par laquelle fuir. Il n'avait guère l'habitude de discuter. D'ordinaire il avait juste le temps de dire à ses proies qu'il tenait leur vie entre ses mains… Lorsqu'il retrouverait l'autre jumelle, il faudrait également qu'il discute avec elle, mais l'heure était aux révélations, de celles qui à coup sûr feraient vaciller ses certitudes, après quoi il devrait s'assurer sa confiance afin qu'elle accepte d'accomplir une tâche à laquelle, sans doute, elle ne survivrait pas.

Il fut pris d'un frisson et chassa d'un mouvement de tête le maigre sentiment de culpabilité qui s'immisçait en lui. Les jumelles seraient réunies, une chance exceptionnelle, c'était bien plus qu'elle n'aurait pu espérer si Risk l'avait livrée directement à Lusse.

Il inspira longuement. Il fallait qu'il lui parle. Il pouvait bien tout lui révéler, elle ferait de toute façon le choix de retrouver sa sœur, quel qu'en soit le prix. Pourquoi alors s'encombrer de détails futiles ? Il s'accrocha à cette idée, repoussa la bouteille de whisky et se pencha vers la table basse, les coudes posés sur les genoux.

— Ta sœur, commença-t-il, tu m'as dit qu'elle n'était pas normale. Toutes ces choses que tu as trouvées à la cave, les statuettes, l'encens, les pierres… tu sais à quoi elles servent ?

Elle tint de nouveau le verre devant son visage.

— Ta sœur et cette femme à la morgue, continua-t-il, ont quelque chose en commun.

Elle abaissa légèrement le verre et ses yeux s'embuèrent de larmes.

— Tu penses que Kelly est morte alors ? Qu'on l'a assassinée et jetée quelque part, comme cette femme ?

— Non. Non, ce que je veux dire c'est… je pense qu'elles étaient toutes deux… que ce *sont* des sorcières.

Kara considéra l'homme assis face à elle. Une sorcière. Sa sœur ? Cette femme à la morgue ? Elle plongea son visage dans le verre et inspira les vapeurs d'alcool, les arômes doux et familiers, c'était un repère solide dans un monde qui semblait s'effriter sous ses pas. Elle prit une infime gorgée et laissa le whisky lui brûler la langue.

Kelly, une sorcière. Etait-ce possible ?

Il y avait la dague, les statuettes et les autres objets bizarres qu'elle conservait à la cave. Et puis tous ces sites web bizarres que Kara avait trouvés parmi ses favoris sur l'ordinateur de Kelly, tout cela dessinait un étrange portrait en creux de sa sœur. Il était temps d'affronter la réalité.

Elle inspira, le souffle tremblant.

— Je t'ai déjà dit que Kelly était… différente. Je devais déjà savoir sans me l'avouer qu'elle avait des croyances étranges. Bon, elle se prend pour une sorcière… quel mal y a-t-il à ça ? Ça pourrait être pire, elle pourrait se prendre pour un vampire, ou un loup-garou. Tu imagines ? déclara-t-elle en riant.

Elles faisaient vraiment la paire, toutes les deux. Kara paniquait à la vue d'un teckel et Kelly, celle qui était censée être saine d'esprit, pratiquait la sorcellerie dans la cave.

Risk cilla, visiblement mal à l'aise. Grand Dieu, lui aussi devait la prendre pour une folle !

— Non, mais je veux dire, brûler des chandelles et faire des prières vaudoues, je ne vois pas quel rapport ça pourrait avoir avec sa disparition, ou celle de l'autre femme à la morgue, qui…, laissa-t-elle tomber, sans terminer sa phrase.

— Kara, dit Risk en lui posant une main sur le genou, écoute-moi attentivement. Je ne suis pas en train de te dire que ta sœur *croit* être une sorcière. Je t'affirme qu'elle en *est* une. Et c'est également ton cas.

Kara avait les yeux fixés sur la main massive posée sur son genou. Elle remarqua le fin duvet blond qui la recouvrait. Elle ne parvint pas à déterminer ce qui la frappait le plus, si c'était la décharge de sensations qu'elle avait ressenti face à ce geste anodin, ou la perspective qu'elle et sa sœur soient des sorcières.

— Kara, reprit-il en lui serrant légèrement la jambe.

De son autre main, il lui releva le menton pour qu'elle le regarde en face.

— Tu n'es pas folle, et je ne suis pas fou, la rassura-t-il. Vous êtes, toi et ta sœur, des sorcières. La femme dans la morgue également. Et quelle que soit ou quoi que soit la chose qui l'a tuée, elle détient Kelly désormais. Nous devons la trouver, et vite.

Kara ne le quitta pas du regard, fascinée par ses yeux, par les contours de son visage. Bon sang, il disait vrai. Elle s'était voilé la face. Dès l'instant où elle avait pris la main de l'inconnue dans la morgue, elle avait su. *Ainsi je suis une sorcière.* Elle resta assise un moment, les yeux clos, les mains crispées. C'était une idée réellement bouleversante. Elle se sentit basculer sur le côté, et seule la main de Risk l'empêcha de perdre l'équilibre.

Qu'est-ce que ça voulait dire, être une sorcière ? Est-ce que ses parents étaient des sorciers, eux aussi ? Menaient-ils une double vie à son insu ? Depuis combien de temps Kelly était-elle au courant ? Depuis combien de temps le lui cachait-elle ? Tellement de questions, et si peu de temps pour y répondre.

Elle rouvrit les yeux. Risk l'observait intensément, le regard plein d'une urgence silencieuse.

Il avait raison, il fallait trouver Kelly. Pas de temps à perdre à se demander de quelle façon cette révélation teintait son passé ou affectait son avenir. Elle devait vivre dans le présent, gérer l'instant. Elle sentit la détermination revenir. Oui, avec l'aide de Risk elle pouvait le faire.

Elle s'accrocha à cette idée et posa ses mains sur celles du cerbère.

— Je crois savoir qui est cette femme, l'inconnue.

Kara se leva sans attendre. Elle ne voulait pas laisser l'hésitation la rattraper et elle ne voulait pas réfléchir aux implications de ce qu'elle venait d'apprendre. Elle fila droit vers la cave, là où elle avait laissé le calepin. Dès qu'elle l'eut retrouvé, elle remonta les marches quatre à quatre ; Risk n'avait pas bougé.

— Voilà. La liste de noms. Je pense qu'elle en fait partie. Elle lui tendit le carnet en arborant une belle — et parfaitement feinte — assurance. Je n'ai rien dit sur le moment, mais lorsque je l'ai touchée, j'ai vu des choses. Des détails de sa vie, et Kelly était avec elle. Elle travaillait sur son ordinateur et Kelly prenait des notes, dans ce carnet, précisément.

— Regarde le dernier nom, lui conseilla-t-elle, il est écrit en rouge alors que les autres sont en bleu. C'est ce nom qui a été ajouté en dernier. Je pense que Kelly et cette femme étaient à la recherche des autres quand… elle a disparu à son tour.

Peut-être même qu'elle a été enlevée, songea Kara en repensant aux derniers détails de sa vision, juste avant que la douleur ne rompe le lien.

Elle observa Risk avec un sourire plein d'espoir. Ils approchaient du but, elle en était certaine.

— Est-ce que tu penses que quelqu'un a enlevé tous ces gens…, lui demanda-t-elle en désignant la liste du doigt… parce que ce sont des sorciers ? Il y a des personnes capables d'une chose pareille ?

Risk laissa échapper un petit rire sinistre.

— Oui, il y en a.

***

Ils passèrent l'heure suivante à parler. Risk expliqua à Kara comment elle avait clos un cercle de protection et s'y était enfermée elle-même, s'assommant au passage. Ce faisant, elle prit conscience qu'elle disposait bel et bien d'un pouvoir qui, combiné avec celui de sa sœur, allait au-delà de la puissance d'une sorcière normale.

Cela faisait beaucoup d'information à ingurgiter, beaucoup de vérités à accepter. Kara avait toujours été moyenne en tout, sa peur chronique l'avait empêchée jusque-là d'oser s'aventurer dans des domaines où Kelly excellait.

— Et les chiens, est-ce qu'ils étaient réels ? Je veux dire, les yeux, la disparition, tout ça ? Tu penses qu'ils ont été envoyés par celui qui a enlevé Kelly ?

Risk attrapa un verre de whisky vide et le fit rouler sur sa cuisse, observant les gouttes qui s'accrochaient à la paroi.

— Non, je ne crois pas.

— Tu veux dire : « Non ils n'étaient pas réels », ou « non ça n'a rien à voir avec la disparition de Kelly » ?

— Ils étaient bien réels, mais ils n'ont rien à voir avec Kelly.

— Comment peux-tu en être aussi sûr ? Ils étaient vraiment menaçants ! Qui peut dire que celui qui a enlevé les sorcières n'a pas décidé de changer de tactique en envoyant des chiens à la place ?

Elle lui avait parlé du couteau sur le cou de la fille de la morgue, persuadée que son possesseur était aussi le ravisseur de la malheureuse.

— J'en suis sûr, affirma-t-il en reposant vivement le verre sur le coffre. Bon, ça suffit, tout ça ne nous mène nulle part. Nous devons nous concentrer sur le responsable de ces enlèvements. Où est-ce que tu as vu Kelly pour la dernière fois ?

Kara l'observa d'un air soucieux. Il y avait encore de nombreuses choses qu'elle ne comprenait pas.

— Ici, à la maison. Elle sortait et elle était habillée en noir. Ça ne m'a pas frappée sur le moment mais en général, elle portait plutôt des vêtements colorés. A bien y réfléchir, peut-être qu'elle s'habillait de cette façon pour mieux espionner quelqu'un…

— Ou pour le traquer, ajouta Risk.

— Ouais, exactement.

Elle repensa aux petites fioles qu'elle avait vu sa sœur fourrer dans son sac.

— Je crois… qu'elle était armée, ajouta-t-elle.

Risk acquiesça, et sa tension sembla le quitter à mesure que Kara lui donnait des détails.

— Autre chose ?

— Eh bien… Kara tordit la bouche sur le côté. Il y a bien les allumettes, mais ça ne rime à rien.

— Quelles allumettes ?

Elle poussa un soupir embarrassé.

— Ce n'est rien du tout. J'ai trouvé des allumettes dans ses affaires. Il y avait le nom d'un bar écrit dessus, l'Antre du Gardien. C'est pour ça que j'étais là-bas l'autre nuit. Mais je me rends compte maintenant que c'était juste une boîte d'allumettes, rien de plus. Kelly avait besoin d'allumer ses bougies, non ?

Kara avait encore un peu de mal à imaginer sa sœur en plein rituel, entourée de cierges, en train de psalmodier et de se livrer à elle ne savait quelle cérémonie étrange.

— Elle devait l'avoir depuis des années, cette boîte.

— Non, je ne pense pas.

Kara fronça les sourcils. Comment pouvait-il être au courant de ce genre de détails ?

— C'est une sorcière, continua-t-il.

Kara demeura interdite.

— Les sorcières stockent l'énergie, soupira-t-il. Elles la récupèrent dans leur environnement, elles la canalisent et elles la relâchent lorsqu'elles en ont besoin. Même la sorcière la plus médiocre est capable d'allumer un cierge sans allumette.

— Je suis capable de stocker l'énergie, moi ? Et de la relâcher ? Sous forme de boules de feu, par exemple ?

— Ça dépend de la sorcière, répondit-il, les lèvres pincées. La façon dont l'énergie est relâchée diffère pour chacune.

— Mais je n'ai jamais…

— J'ignore comment fonctionne la sorcellerie et je ne tiens pas à le savoir.

Il se leva brusquement et le coffre sur lequel il était assis craqua. Quelque chose se modifia dans l'air ambiant et Kara sentit ses cheveux se hérisser sur sa nuque.

— Est-ce que je serais capable d'aspirer l'énergie de cette pièce sans même le savoir et… ?

Elle tendit ses poings fermés vers Risk et les ouvrit soudainement.

Il fit un pas sur le côté, si rapide qu'il ne pouvait être qu'instinctif, et ses yeux brillèrent fugitivement d'une lueur surnaturelle.

— Risk ?

Kara le suivit du regard, prise d'une soudaine inquiétude.

— Tu… tu ne m'as jamais dit ce que tu étais. De quelle façon tu m'as trouvée et pour quelle raison tu en sais aussi long sur les sorcières. Est-ce que tu es…

Risk tourna les talons, se dirigea vers la fenêtre et posa sa main sur les rideaux.

— Je… travaille pour une sorcière, expliqua-t-il, les poings serrés sur le tissu. Si j'étais dans ce bar, c'est parce qu'elle m'y a envoyé pour retrouver quelque chose. C'est en sortant sur le parking que je t'ai vue. Rien de plus à dire.

Kara se redressa, interloquée.

— Tu travailles pour une sorcière ? Est-ce que je pourrais la rencontrer ? Peut-être qu'elle pourrait nous aider !

Il lâcha le rideau qui retomba dans un bruit doux.

— Non.

Kara ne le quittait pas des yeux, incertaine sur la conduite à tenir.

— Mais elle pourrait certainement nous donner des informations, ne serait-ce que m'enseigner à faire deux ou trois tours par moi-même. Elle a peut-être des livres ou…

— Non !

La rudesse de son ton la plaqua au fond de son siège.

Il se tourna de nouveau vers la fenêtre et posa la main sur le verre. Il resta immobile quelques secondes, ses muscles jouant à chaque respiration. Enfin il se tourna vers elle.

— Les sorcières ne travaillent pas en équipe, commença-t-il, elles sont comme les chats, elles sont possessives et elles ont leur territoire. Tu n'as pas réellement envie de rencontrer Lusse, crois-moi.

— Mais…

A l'entendre, les sorcières étaient des créatures maléfiques. Kelly ne marquait pas particulièrement son territoire et ce n'était pas quelqu'un de possessif. Et si la vision qu'avait eue Kara reflétait la réalité, elle l'avait vue travailler avec une autre sorcière pour protéger leurs consœurs. Non, il devait se tromper.

— Je ne crois pas…, commença-t-elle.

Il traversa la pièce et vint droit sur elle.

— Promets-moi que tu ne chercheras pas à rencontrer Lusse.

Kara soutint son regard. Quelque chose en elle n'acceptait pas qu'il lui parle sur ce ton. Elle se leva d'un bond.

— Tu fais passer les sorcières pour des créatures maléfiques, mais Kelly est quelqu'un de bien, et moi aussi. Tu pourrais parfaitement faire erreur aussi au sujet de Lusse !

La veine à la base du cou de Risk se mit à battre. Il ouvrit et ferma alternativement le poing tout en inspirant profondément. Il fit un pas en avant et plongea sa main dans la chevelure de Kara.

Il la tint par les cheveux et la força à le regarder.

— Non, tentatrice, je ne fais pas erreur au sujet de Lusse, tout comme je ne pense pas faire erreur à ton sujet.

Il se pencha vers elle et l'embrassa avec fièvre, faisant naître en elle une chaleur volcanique qui consuma au passage toutes ses inhibitions.

8

Le parfum de Kara vint saturer ses sens. Colère, peur… les deux grandes faiblesses de Risk. Il lutta pied à pied pour ne pas laisser la bête prendre le dessus, tout en glissant sa langue entre les lèvres de la jeune femme. Il lui attrapa les cheveux, faisant de son mieux pour garder le contrôle de ses instincts bestiaux ; il n'était que passion et sa belle résolution fondait à vue d'œil.

Se contrôler, il devait se contrôler. Il n'était pas envisageable de laisser se reproduire ce qui s'était passé avec la mère de Venge.

Il parvint à refréner la violence de ses baisers, mais cela lui demanda un effort si violent que son corps fut secoué d'un spasme de contrariété. Il se focalisa sur la femme entre ses bras et ne songea qu'à lui rendre ce qu'elle lui offrait. Quelque chose en lui se modifia alors et l'homme prit le pas sur la bête.

Il sentit ses cheveux soyeux rouler sous ses doigts et il lui effleura la joue. Comme elle avait la peau douce et fraîche. Et ce parfum… Il inspira profondément, s'imprégnant non seulement des émotions de Kara — la colère avait fait place à l'excitation — mais encore de son odeur épicée. Un grondement de contentement monta en lui.

La prudence lui dictait de reculer, il en avait conscience, mais ce parfum était par trop obsédant, provoquant chez lui des réactions inédites : il avait peur… pour elle. La perspective qu'elle puisse tomber entre les mains de Lusse l'avait plongé dans une rage qui confinait à la panique. Le sang du cerbère qui vivait en lui s'était glacé à l'idée de ce qu'elle pourrait faire de sa petite sorcière.

La peur. C'était là une émotion que Risk avait coutume de percevoir chez les autres, pas de ressentir lui-même. C'était une faiblesse, il s'en rendait bien compte, et il ne pouvait pas se permettre d'être faible, surtout en ce moment. Il devait mettre de la distance entre lui et la source de sa peur, laisser Kara en arrière et partir seul à la recherche de Kelly. Il ne pouvait rien espérer de bon de cette liaison : s'il laissait s'exprimer sa nature de cerbère, il la mettrait en danger et s'il se laissait dominer par son humanité, il se mettrait lui-même en danger.

Pris en traître par ses poumons, il inspira une nouvelle bouffée du parfum de Kara et ses doigts se détendirent d'eux-mêmes dans la chevelure de la jeune femme. Une drogue. Cette fille était une drogue et il n'avait pas assez de volonté pour décrocher.

Il décida de l'accepter, de s'exposer, au risque d'être blessé. Repoussant la perspective de toutes les conséquences désagréables de ses actes, il se jeta à corps perdu dans un baiser passionné et tellement humain.

A mesure qu'il se détendait, Kara aventurait sa langue plus loin. D'abord timidement, puis avec fougue. Ses mains ne pendaient plus, passives, le long de son corps. Elles parcouraient celui de Risk. Se glissant sous sa chemise, ses doigts trouvèrent ses abdominaux.

Il gronda de plaisir et retira sa main de la généreuse chevelure de la jeune femme pour soulever le T-shirt de coton, qu'il haussa jusqu'à rencontrer la soyeuse lingerie qui recouvrait sa poitrine. Elle laissa échapper un soupir d'aise qui vint caresser le cou du cerbère.

Il introduisit son pouce sous l'élastique du soutien-gorge, et bientôt la poitrine opulente de Kara vint peser dans le creux de sa main. Il la palpa et fit rouler un téton entre son pouce et son index jusqu'à le sentir se raidir sous ses caresses.

— Le T-shirt, haleta-t-elle en soulevant d'une main le vêtement.

Il s'en débarrassa rapidement et lui ôta par la même occasion son soutien-gorge. Elle était maintenant face à lui, désirable, sa poitrine entièrement dénudée, ses tétons durcis par l'excitation. Risk n'avait qu'une envie : les avaler, les goûter, jusqu'à ce qu'elle l'implore de pénétrer en elle.

Son érection pressait douloureusement contre son jean et le besoin d'assouvir son besoin de sexe était presque insupportable. Pas encore, il fallait encore attendre un peu, il y avait tant à goûter, tant à déguster. Partageant à l'évidence sa fièvre, elle l'attrapa par la ceinture, faisant aussitôt sauter le premier bouton d'un seul doigt, égratignant au passage la peau de son bas-ventre.

— Attends, murmura-t-il en lui caressant le visage avant de lui ramener une mèche derrière l'oreille.

— Attends ? répéta-t-elle en levant vers lui un regard où se mêlaient la passion et l'étonnement.

Il eut un petit sourire avide avant que sa langue ne vienne titiller son sein. Il décrivit de longues courbes puis le happa tout entier, avalant le téton, le mordant, jusqu'à ce qu'elle se cambre contre lui, la tête basculée en arrière. Elle saisit son autre sein à pleine main et le lui offrit.

Les narines frémissantes, il ramena les deux seins dans ses mains en coupe et laissa sa langue s'égailler dans ce vallon.

Le sang de Risk cavalait dans ses veines comme un torrent. Le puissant parfum moite qui montait de l'intimité de Kara et la tentation d'y plonger son visage se fit impérieuse. C'était si prenant, si obsédant qu'il en perdit presque pied.

Kara était accrochée à ses flancs, ses ongles enfoncés dans sa chair. Et puis soudain, sans prévenir, elle se glissa dans le jean de Risk et vint saisir son sexe à pleine main.

Elle le serra.

La pression qu'elle exerça alors incita Risk à se demander quelles sensations il ressentirait en pénétrant en elle, comment elle se contracterait autour de lui tandis qu'il irait et viendrait jusqu'à la faire crier, jusqu'à ce qu'elle le supplie d'en finir.

C'était de la lave qui coulait à présent dans les veines du cerbère. D'un geste de la main, il ôta les derniers boutons et libéra son pénis raide de sa prison de tissu.

Kara eut un petit hoquet en sentant le sexe de Risk venir peser sur son ventre. Elle l'avait toujours en main et elle atténua légèrement la pression afin de pouvoir aller et venir sur toute sa longueur. La respiration de Risk se fit haletante.

— Tu me rends dingue, gronda-t-il en faisant glisser le pantalon sur les hanches de Kara, qui ne porta bientôt plus qu'une petite culotte pour seul vêtement.

— Ce n'est pas juste, glissa-t-elle en commençant à déboutonner la chemise du cerbère.

— C'est vrai.

Il saisit le tissu à deux mains et en écarta les pans d'un geste, faisant voler les boutons aux quatre coins de la pièce. Désormais torse nu, il termina d'enlever son jean et découvrit ses cuisses puissantes.

— C'est plus équitable, là ? demanda-t-il, sa peau luisant à la lueur des flammes.

— Nettement plus, apprécia-t-elle en laissant ses mains arpenter sa poitrine nue et musclée.

Jamais encore elle n'avait fait preuve d'autant d'audace face à un homme. Comment quelqu'un d'aussi intimidant que Risk pouvait-il lui procurer un tel sentiment de confiance et de liberté ? Elle était nue, mais il l'avait déjà vue nue auparavant.

— Risk ?

Il lui avait saisi les fesses à pleines mains et frottait son sexe contre son pubis.

— Oui, petite sorcière ?

De nouveau il porta sa bouche à la poitrine de Kara, et elle oublia sa question, puis il glissa sa main sous le tissu de sa culotte et aventura un doigt entre ses lèvres humides et charnues, allant et venant comme elle l'avait fait avec lui sur le petit renflement à leur sommet, la sentant se contracter sous ses caresses.

— Risk, haleta-t-elle en se dressant sur la pointe des pieds.

Elle voulait le sentir en elle et son souffle s'accéléra tandis qu'elle passait une jambe autour de sa taille.

— Kara, ton odeur..., haleta-t-il en se penchant en avant.

La jambe de Kara rencontra le canapé et ils y basculèrent.

— Tu es ma drogue, petite sorcière, grogna Risk, les yeux brillants en se penchant vers sa bouche.

*
* *

Risk était hypnotisé par la minuscule culotte qui dissimulait le sexe de Kara ; l'objet de tous ses désirs. L'ayant arrachée, lui écarta les lèvres d'un doigt, à la recherche du petit bouton dilaté.

Kara émit un gémissement et fit mine de lui attraper la main, mais Risk lui saisit les poignets et les hissa au-dessus de la tête de la jeune femme.

— Laisse-moi faire, murmura-t-il.

Il se mit à décrire de minuscules cercles, jusqu'à l'entendre haleter et que ses paupières se ferment.

Elle était mouillée, trempée même. Il plaqua son sexe contre la cuisse de la jeune femme. Il avait hâte, lui aussi, mais… patience.

Il continua à la faire vibrer sous ses doigts, libérant de nouvelles fragrances intimes dans l'atmosphère.

Elle se mordit la lèvre, cambra le dos et se mit à faire onduler son bassin contre sa main. Elle était si humide que les doigts de Risk glissaient sur sa peau tendre sans le moindre effort. Il fallait qu'il la goûte à présent, qu'il sente sa peau si tendre contre sa bouche. Avec un nouveau gémissement, elle bascula la tête sur le côté.

N'y tenant plus, il lui libéra les poignets, descendit sa main libre sous les fesses de Kara, en caressant au passage sa poitrine, et avec un soupir d'extase, il posa sa bouche sur le sexe offert.

Ses sens s'enflammèrent.

Il y avait tant à déguster qu'un spasme le saisit, un semblant d'orgasme provoqué par un déluge de saveurs et d'odeurs. Kara frémit et lui attrapa les épaules, l'incitant à plonger plus profondément en elle.

Refermant sa bouche sur son clitoris, il le suça et le caressa du bout de la langue. C'était encore plus fantastique qu'il ne se l'était imaginé et il inspira à pleins poumons, le nez enfoui dans les replis de sa chair.

Sa verge fut prise de petites contractions ; il fallait qu'il entre en elle. Il se releva, déposa un baiser sur sa cuisse, et vint poser son sexe à l'endroit que sa bouche venait de quitter. Il se laissa glisser une fois, puis deux entre ses lèvres humides.

— Risk ? hoqueta-t-elle en réponse, ses pupilles luisant d'un profond éclat pourpre.

— Ouvre-toi pour moi.

Sans la moindre hésitation, elle écarta largement les cuisses. Risk attendit, prolongeant le plaisir, le regard fixé sur son sexe offert, puis il inspira et plongea en elle.

Il allait vite et fort, incapable de se contrôler, allant et venant encore et encore entre ses reins. Elle poussa alors un cri et Risk s'arrêta, craignant de l'avoir blessée.

— Encore, le supplia-t-elle en se cambrant davantage.

Il s'exécuta, tout en lui soulevant les jambes, afin de pouvoir aller encore plus loin. Ses seins de petite sorcière tressautaient à chaque mouvement, ses tétons dressés vers le ciel. Il tendit le bras et pinça l'un d'eux entre ses doigts.

— Risk, dit-elle encore, ses yeux désormais entièrement violets, brillants de puissance et de désir.

Il sentit la chaleur croître derrière ses propres pupilles et ferma les yeux pour qu'elle ne s'en rende pas compte.

Kara se mit à haleter, et ce doux son mit la résistance de Risk à rude épreuve. Elle lui griffa le dos, tout en relevant ses jambes encore plus haut, pour qu'il aille toujours plus profondément en elle.

Il fut pris d'un tremblotement incontrôlable ; son orgasme était proche. Il sentit les muscles de Kara se resserrer autour de son sexe et il ouvrit les yeux lorsque le plaisir l'emporta dans un spasme de pure jouissance. Elle le rejoignit en poussant un cri, s'accrochant à ses épaules, parcourue de tremblements qui semblaient ne jamais vouloir cesser.

Le cœur battant, secouée par les légers spasmes qui suivaient l'orgasme, Kara tendit la main pour saisir celle de Risk et la poser contre son visage. Les yeux clos, il se tourna vers elle et déposa un baiser au creux de sa paume.

Une légère décharge électrique vint lui chatouiller le creux de la main. Surprise, elle releva la tête vers Risk, mais il l'embrassa de plus belle avant de venir lui baiser la joue.

Kara poussa un soupir. Cet homme lui inspirait un désir fou. Avec lui elle se sentait vraiment vivante et parfaitement en sécurité, des sentiments mêlés que Kelly aurait jugé incompatibles. Sa sœur était toujours à la recherche d'une nouvelle expérience, elle disait que c'était la seule façon pour elle de se sentir vivante. Pour Kelly, sécurité rimait avec ennui. En tout cas Risk était loin d'être ennuyeux.

Elle passa une main dans ses cheveux blonds.

Il vint s'allonger à côté d'elle, leurs corps s'épousant en un S parfait. Il avait la peau si chaude qu'il la réchauffait plus encore que le feu qui ronflait dans la cheminée.

— Risk? dit-elle, la tête nichée au creux de son épaule, sa main serrant le bras qui l'enlaçait.

— Oui, tentatrice?

Elle eut un sourire. *Tentatrice.* Ça lui plaisait d'être la tentatrice de quelqu'un.

— La nuit où tu m'as trouvée, quand tu m'as ramenée à ton chalet…

Elle le sentit se contracter dans son dos.

— … Je me suis réveillée nue. Pourquoi?

Il eut un rire bas et elle le sentit se détendre.

— Tu avais besoin de sommeil, petite sorcière. Tu ne dors pas habillée, si?

Elle leva un sourcil surpris.

— Oh, alors il ne s'est rien…

— Passé?

Cette fois, il éclata franchement de rire; et écartant les mèches folles de l'oreille de Kara, il lui murmura :

— Aurais-tu pu si facilement l'oublier?

— Jamais, ronronna-t-elle en se retournant vers lui, incapable de croire à sa chance.

Elle lui caressa de nouveau la joue. Dieu qu'il était beau! Ses lèvres charnues, son visage harmonieux et ses yeux noisette qui semblaient changer de couleur à chaque seconde. Il ne lui restait qu'à retrouver Kelly pour que son bonheur soit complet.

Il murmura quelque chose qu'elle ne comprit pas — du norvégien sans doute — après quoi il lui prit la main et l'embrassa encore une fois. Cette fois l'arc électrique qui jaillit entre les lèvres de Risk et sa paume était manifeste. Kara recula, peinant à décider si la sensation lui plaisait.

Risk se figea.

— Tu as senti ça? murmura-t-elle.

Il ferma les yeux et hocha gravement la tête.

— Je crois que nous avons la preuve de ton pouvoir.

Son pouvoir… Elle avait donc des pouvoirs, ou du moins le talent d'accumuler et de libérer l'énergie? Elle ignorait comment ça fonctionnait, mais elle avait ça en elle. Elle effleura le menton de Risk et observa sa paume en silence. Pourrait-elle les mettre à profit pour sauver Kelly ?

Elle leva les yeux vers Risk, un sourire aux lèvres, les yeux brillants d'excitation.

— Tu sais ce que ça signifie ?

Risk se leva du canapé, attrapa son jean et l'enfila.

— Oui, je le sais, répondit Risk en traversant la pièce, saisissant un tisonnier pour remuer les braises.

Kara s'assit à son tour et se mit aussitôt debout, sans prendre la peine de se rhabiller.

— Kelly... Ça veut dire que je peux peut-être retrouver Kelly, il me faut juste apprendre à maîtriser mes pouvoirs ! Tu es vraiment certain que ta patronne ne pourrait pas... ?

Il se retourna, son tisonnier heurtant une bûche au passage.

— Je te l'ai dit, Lusse ne te serait d'aucune aide.

La bûche s'affaissa dans l'âtre et un morceau vint rouler jusque sur le tapis.

— Risk ! s'exclama Kara en désignant le brandon fumant, tandis que l'odeur de laine brûlée envahissait la pièce.

Il resta immobile, les yeux rivés sur la jeune femme, ses muscles jouant sous la peau tandis qu'il serrait les poings autour du tisonnier.

— Risk ! cria-t-elle de nouveau.

Il cilla, considéra le fragment brûlant et jura entre ses dents. Il lâcha le tisonnier au sol et saisit le morceau de bois à pleines mains pour le remettre dans la cheminée, avant d'étouffer le début d'incendie à l'aide de sa chemise.

— Est-ce que ça va ? s'alarma-t-elle en se précipitant

à son côté, prenant ses mains dans les siennes, tu n'es pas brûlé ?

Il la regarda sans la voir, d'un regard absent.

— Risk, est-ce que tu m'entends ?

Elle tourna et retourna les mains du cerbère entre les siennes ; pas la moindre trace de brûlure, constata-t-elle en laissant échapper un soupir de stupéfaction.

— Mais à quoi est-ce que tu pensais, bon sang, tu aurais pu te blesser !

Il observa ses mains posées dans celles de la jeune femme et eut un rire sans joie.

— Je pourrais traverser le pire des brasiers sans me roussir un seul cheveu, petite sorcière. Ce n'est pas du feu dont j'ai peur.

Un pli soucieux vint barrer le front de Kara. Qu'est-ce qui s'était passé ? Est-ce qu'elle avait fait quelque chose de mal ? Elle ouvrit la bouche pour lui poser la question, afin qu'il la rassure mais il retira ses mains et retourna vers le canapé, où il rassembla les affaires de la jeune femme.

— Il faut que je m'absente quelque temps.

Kara referma la bouche ; il était en train de la plaquer.

— Je dois faire mon rapport à Lusse, expliqua-t-il. Attends-moi ici, je reviendrai.

Kara étudia son comportement. Il n'y avait aucune colère dans sa façon d'être, que de la tristesse et une résolution d'acier, celle d'un homme tenu de faire son rapport à sa patronne, rien de plus. Elle ne pouvait tout de même pas lui demander de tout laisser tomber pour elle.

Il revint près d'elle et lui enfila son T-shirt avec une telle douceur qu'elle le sentit à peine faire. Elle le laissa la vêtir, savourant son contact, le cœur serré de le savoir sur le départ. Il dégagea les longs cheveux de Kara pris sous le vêtement, les laissant couler entre ses doigts.

— On va trier les informations qu'on a glanées et on retrouvera ta sœur, affirma-t-il en lui glissant un doigt sous le menton pour déposer un doux baiser sur ses lèvres.

Kara n'avait d'autre choix que se convaincre que c'était la meilleure façon de procéder ; de toute façon il fallait qu'il parte. Il reviendrait et d'ici là elle avait un paquet de sujets en réserve pour s'occuper l'esprit.

Risk laissa Kara devant le feu de cheminée. Elle avait les jambes nues et son jean à la main. Il fallait qu'il prenne du champ, qu'il se donne du temps pour réfléchir à ce qui était en train de lui arriver — à ce que son instinct de protection pour Kara impliquait, ainsi qu'aux pouvoirs de la petite sorcière. Comment assurer sa sécurité tout en l'utilisant pour se libérer de l'emprise de Lusse ?

La réponse était limpide ; c'était impossible. Il lui faudrait faire un choix : sa liberté ou la sécurité de Kara, il ne pouvait avoir les deux. Quoi qu'il en soit, il lui restait à gérer Lusse, elle ne cesserait pas de traquer Kara, pas en sachant qu'elle avait une sœur jumelle. Quant à la petite sorcière, elle ne cesserait jamais de rechercher sa sœur. Peut-être pourrait-il convaincre Lusse qu'elle était morte, s'il avait un peu de temps devant lui, mais il lui faudrait disparaître de son existence afin d'être certain que jamais Lusse ne pourrait lui mettre la main dessus.

La disparition de Risk ne mettrait pas pour autant un terme à la quête de sa sœur disparue. Elle continuerait, seule, sans protection.

Non, il fallait qu'il imagine un autre plan. Il devait

leurrer Lusse suffisamment longtemps, puis retourner auprès de Kara afin de l'aider à retrouver Kelly, après quoi il demeurerait auprès de Lusse pour le reste de l'éternité.

Il se matérialisa dans le foyer de Lusse cette fois, une petite pièce séparée du reste du bâtiment par un mur de puissance. Il attendit qu'un garde annonce à sa maîtresse son arrivée impromptue. Une poignée de secondes passèrent avant qu'il n'entende le claquement de ses talons sur le dallage. Elle venait le saluer en personne? Elle devait être dans une humeur particulièrement guillerette.

— Risk, tu as des nouvelles? l'interrogea-t-elle en repoussant le mur d'énergie d'un simple geste de la main.

Elle était toujours aussi séduisante. Ses cheveux argentés étaient retenus par un diadème incrusté de diamants et tombaient en cascade dans son dos, sur sa chemise de soie. Aujourd'hui, elle était en tenue de cavalière : pantalon de cuir et bottes polies, et elle jouait avec une badine.

— J'allais me rendre aux écuries, peut-être aimerais-tu m'accompagner? lui dit-elle en souriant sans la moindre trace de malice ou de colère.

— Bien sûr, dit Risk en lui rendant son sourire, le cœur battant à tout rompre.

A quel jeu jouait-elle cette fois?

Elle s'avança vers lui, et lui tapota le torse de sa badine.

— Tu dois te changer, dans ce cas. Tu ne vas pas aller marcher dans la neige dans cette tenue, n'est-ce pas?

Risk baissa les yeux sur ses pieds nus. Il faisait d'ordinaire assez peu attention à ce qu'il portait, sauf quand il lui fallait se mêler aux humains, ou quand Lusse le forçait à se vêtir.

— Bader, appela-t-elle.

Le serviteur apparut près d'elle, une pile de vêtements posée sur son bras, une paire de chaussures en cuir dans l'autre main.

Sans adresser le moindre regard à Lusse ou à Bader, Risk se dévêtit et enfila les vêtements propres. Du sur-mesure et de grande qualité, ils devaient coûter une véritable fortune, il ne fallait pas être un expert en mode masculine pour le deviner. La chemise était cintrée et soulignait les reliefs de sa poitrine et le pantalon bien que moulant, n'entravait pas ses mouvements. Pour une raison qui lui échappait, elle avait décidé de le vêtir comme son égal et non comme un domestique.

— Fabuleux, jugea-t-elle en passant sa main sur le tissu, palpant sa musculature au passage, tu devrais toujours t'habiller de cette façon, Risk. Je ne comprendrai jamais ta fascination pour le style bûcheron mal dégrossi.

Risk supporta ses caresses, refusant de répondre à ses remarques. Elle l'examina sous toutes les coutures, puis lui prit le bras avant de repousser un second mur d'énergie.

— Et si nous allions aux écuries ?

Il résista à la tentation de lui faire remarquer que le pantalon qu'elle lui avait choisi ne ferait pas long feu dans la neige qui recouvrait perpétuellement son petit univers privé. Il lui emboîta le pas et sortit dans le froid glacial.

Des sommets acérés se dressaient sur leur gauche, tandis qu'un sentier serpentait sur leur droite entre les arbres, menant aux écuries et au chenil des cerbères.

Risk posa le pied sur le chemin gelé et il comprit soudain : le chenil.

— Tu ne voulais pas que je te fasse un rapport ? demanda-t-il sur le ton de la conversation.

— Si, bien sûr, mais ça ne presse pas, je sais que tu t'en es tenu à ce que tu m'avais annoncé : surveiller la sorcière et traquer sa sœur, lui assura-t-elle en lui tapotant le bras.

Les yeux plissés de Lusse ne lui laissèrent qu'à peine entrevoir la couleur de ses pupilles, et par là même, la teneur de ses pensées.

— J'ai trouvé un indice, commenta-t-il.

Le sentier décrivit une courbe, révélant bientôt les écuries et les chenils.

— Un indice ? répéta-t-elle en s'arrêtant.

La neige tombait sur ses belles chaussures en cuir, sans que Risk ne s'en émeuve.

— Une autre sorcière a été retrouvée, morte.

— Vampirisée ?

Risk hésita. Jusqu'où devait-il la mettre au courant ? Mais Kara avait raison, Lusse pouvait détenir des informations susceptibles de les aider à retrouver Kelly.

— Non, brûlée. La police humaine suspecte la foudre, malgré l'absence de point d'entrée et de point de sortie.

— As-tu perçu des rémanences magiques ? demanda-t-elle en tapotant sa jambe avec sa badine.

— Oui.

Lusse vint poser l'extrémité de la badine contre son menton en contemplant le paysage. Risk l'observa, guettant un indice sur son humeur actuelle. Il était dangereux de l'interrompre dans ces moments-là, pour lui comme pour quiconque croisant leur chemin. Elle semblait songeuse.

— Il se peut que ce soit une bonne nouvelle, une très bonne nouvelle, même.

— Tu as déjà entendu parler de ce genre de phénomène ?

— La magie est une chose complexe, expliqua-t-elle en lui reprenant le bras, et tous ses pratiquants ne possèdent pas mon talent.

Elle marqua une pause. Risk connaissait la réponse obligatoire.

— Aucun ne t'égale, Lusse, tu es la plus puissante sorcière qui ait jamais vécu.

Elle lui tapota le bras, lui faisant savoir qu'elle prenait bonne note de sa réponse flatteuse.

— Mais les sorcières ne sont pas les seules à la pratiquer.

Risk leva un sourcil.

— Tu veux parler de... ?

— Les forandres, comme toi et ceux de ton espèce, possédez un embryon de pouvoir, celui-là même qui vous permet de changer de forme.

Risk sourit intérieurement. Il savait que Lusse aurait tué pour posséder le talent de se transformer à la manière des cerbères, des garms et autres forandres. Toutes choses étant égales, Lusse aurait également tué pour avoir sa tasse de cacao du matin.

— Les dieux évidemment, empestent la magie, ajouta-t-elle en griffant le tissu de la chemise de Risk, mais...

Elle inspira profondément et expira avec lenteur.

— ... la description que tu m'en fais me laisse penser que nous avons affaire à un amateur, une personne incapable de canaliser efficacement son pouvoir sans assistance, une personne que je peux vaincre, gloussa-t-elle en lui tapotant de nouveau le bras.

— Mais si cette personne est si faible, comment est-elle parvenue à détruire la sorcière dont j'ai vu le corps et à séquestrer les jumelles ?

Lusse tourna vivement la tête, faisant virevolter sa chevelure dorée.

— Serais-tu en train de me comparer à une sorcière mortelle ?

— Non, bien sûr que non, corrigea Risk en se mordant l'intérieur de la joue.

Il avait besoin d'informations fiables, vierges de toute flagornerie égocentrique.

— Donc la sorcière brûlée, reprit-il, a été tuée par... ?

Les lèvres pincées, Lusse se donna un léger coup de badine contre la cuisse.

— Je ne vois pas en quoi cela pourrait t'intéresser.

Il n'insista pas, elle risquait de se murer dans son silence.

Elle se tourna alors vers lui.

— Mais je me sens d'humeur généreuse, aussi vais-je t'expliquer. Un familier. Notre meurtrier l'utilise pour canaliser un pouvoir qu'il serait incapable de contrôler seul.

— Canaliser son pouvoir ? répéta Risk.

Elle poussa un soupir en reprenant le chemin des chenils.

— Les adeptes des arts magiques appartenant aux cercles inférieurs de maîtrise peinent à focaliser leur puissance. Ils sont capables de réunir l'énergie nécessaire au lancement d'un sort, mais le sort s'avère souvent inopérant ou trop diffus. Le familier leur sert à l'occasion de réserve de sortilèges, d'espace de stockage qu'ils garnissent petit à petit ou encore de lentille, concentrant la magie.

Le chemin se divisa en deux branches, dont l'une menait aux chenils. Elle s'arrêta et sembla hésiter.

— Voudrais-tu rendre visite à ton fils ? On me dit qu'il se débrouille fort bien.

Risk se tendit brusquement. Qu'avait-elle fait à Venge ?

— Comme tu voudras, répondit-il, arborant une expression aussi neutre que possible.

De nouveau, elle sembla hésiter.

— Nous sommes à deux pas, ce serait impoli de ne pas passer dire bonjour, n'est-ce pas ?

— Bien sûr, dit-il en la suivant sur le sentier couvert de graviers, déterminé à réunir autant d'informations que possible tant qu'elle était dans cette humeur.

— Alors cette sorcière entièrement carbonisée, ça indique quoi ? Un danger inattendu ?

— Une preuve supplémentaire de son incompétence, j'imagine, s'esclaffa-t-elle, mais ne t'en fais pas, mon bel alpha, contente-toi de me guider jusqu'à ce voleur.

Risk sentit qu'il ne pourrait rien tirer de plus de la sorcière, aussi laissa-t-il la conversation mourir en la suivant jusqu'aux chenils.

Les cellules étaient alignées contre le mur de la première salle et un mur d'énergie bleuté palpitait du sol au plafond, empêchant leurs occupants d'en sortir, y compris les cerbères sous forme canine. Lorsqu'ils y pénétrèrent, toutes les cellules étaient vides.

Lusse lui fit signe de la suivre et se dirigea vers la porte menant à la seconde pièce.

L'endroit était plongé dans le noir et l'air était saturé de colère. L'aile du bâtiment se déroulait devant eux, flanquée de chaque côté, de rangées de lits de camp. Lusse s'y engagea et ramassa au sol un bandage taché de sang, qu'elle fit glisser dans sa paume comme s'il s'était agi d'un ruban de satin.

— Où peuvent-ils bien être? demanda-t-elle à voix haute en se tournant vers Risk.

Le seul endroit où pouvaient se trouver les cerbères lorsqu'ils n'étaient pas dans le chenil, Risk ne le savait que trop, c'était la fosse. Il sentit son estomac se révulser. Si Lusse était d'humeur si joyeuse, c'était que Venge devait être l'attraction du jour.

— Se pourrait-il...? commença-t-elle en approchant de la porte menant aux tribunes entourant la fosse. Eh bien oui, on dirait qu'ils sont là, apprit-elle à Risk en lui jetant un regard par-dessus son épaule. On a de la chance, on dirait que c'est ton fils qui s'entraîne.

Le visage fermé, Risk la suivit dans le passage creusé à même un gigantesque bloc de pierre.

9

Kara s'était assise face aux braises mourantes, les bras passés autour de ses jambes, sans parvenir à décider ce qui lui était arrivé de plus incroyable durant cette journée. Il s'était passé tant de choses en si peu de temps, des choses affreuses, d'autres merveilleuses. Risk appartenait à la seconde catégorie, même si par certains côtés, il touchait à la première. C'était génial d'avoir quelqu'un de son côté, surtout en ce moment. Elle n'aurait pas survécu à la visite à la morgue sans lui auprès d'elle. Et puis ils étaient rentrés à la maison et… un frisson de plaisir la parcourut.

Elle n'était pas l'archétype de la femme sexuellement active, mais elle avait eu, comme beaucoup, son lot d'épisodes remuant sur des banquettes arrière, et de séances moins remuantes et nettement moins satisfaisantes dans la chambre de ses petits amis de passage. Pourtant rien ne l'avait préparée à ce qu'elle avait vécu avec Risk. Pour la première fois le sexe était synonyme de force et non de vulnérabilité et de fragilité.

Et ce n'était pas son imagination qui lui jouait des tours, il y avait des preuves patentes que sa volonté s'était accrue. Elle tendit la main. Le pouvoir. Elle avait des pouvoirs. Que pouvait-elle en faire?

Elle se mit à genoux et plaça son verre vide sur une

brique près d'elle, tendit la main et tenta de le pulvériser en pensée.

Rien. Pas même un frémissement.

Elle fronça les sourcils en rapprochant un peu le verre. Elle détendit ses épaules, fit rouler sa tête sur les côtés et essaya de nouveau. Rien.

Bon sang! Kara fixa le verre. Si elle n'était pas capable de le fissurer, comment pouvait-elle espérer sauver Kelly lorsqu'elle l'aurait retrouvée?

Réfléchis, réfléchis, réfléchis. Qu'est-ce que tu étais en train de faire la première fois que tes pouvoirs se sont manifestés?

Elle caressait Risk. Elle sourit malgré elle en se remémorant cet épisode. Dieu comme elle avait hâte qu'il revienne! Comment pouvait-elle être à ce point accrochée à un type qu'elle venait à peine de rencontrer? *Concentre-toi. Risk n'est pas là, débrouille-toi toute seule ma fille.*

Peut-être que ce qui comptait, ce n'était pas ce qu'elle faisait, mais son état d'esprit. C'était ça la clé?

Elle s'assit sur ses talons et repensa à cet instant. Risk était au-dessus d'elle, sa chaleur l'enveloppait. Elle se sentait aimée, presque adorée, parfaitement en sécurité et surtout, surtout, elle se sentait forte. Elle ferma les yeux et sa tête dodelina; elle retrouva cette sensation : rien ne pouvait l'arrêter. Elle inspira, gonfla ses poumons, sentant l'énergie entrer en elle. Avec un sourire, elle ouvrit les yeux, tendit les mains et le verre éclata en un amas de minuscules fragments.

Elle sauta sur ses pieds en riant. Elle avait réussi! elle avait bel et bien un pouvoir et elle pouvait l'utiliser.

*
* *

Six mètres au-dessous de l'endroit où se tenaient Lusse et Risk, il y avait la fosse. Un vulgaire trou circulaire sans issue. Aujourd'hui la fosse était poisseuse de boue, d'huile et de sang. Cinq cerbères sous forme humaine en encerclaient un autre seulement armé de ses poings recouverts de toile.

Venge. Le fils de Risk. L'un des assaillants, Sigurd — une brute que Risk connaissait de l'époque où lui aussi vivait dans le chenil — ramassa un bâton et fit signe aux quatre autres de se rapprocher. Venge pivota pour les garder tous dans sa ligne de vue. Deux d'entre eux plongèrent vers ses jambes et le plaquèrent au sol. Les deux autres lui saisirent les poignets, le maintenant dans la boue.

— Oh, il a l'air en mauvaise posture, non ? fit remarquer Lusse en dévisageant Risk, tout en s'appuyant sur la rambarde en métal qui encerclait la fosse.

Il attrapa le garde-fou glacé et la chaleur de sa colère fit fondre le givre sous ses doigts. En dessous, Venge se dégagea de la prise de ses opposants et envoya son poing libre fracasser le nez de l'un d'eux. Le sang jaillit et le second combattant perdit sa prise sur le bras de Venge. Libre, le jeune cerbère se remit debout.

La poigne de Risk sur le métal se relâcha légèrement.

— Hum, murmura Lusse.

Leur chef, Sigurd, fit signe aux autres de reculer avant de tenter une feinte sur la gauche. Venge pivota pour se mettre en garde sur sa droite et Sigurd en profita pour lui asséner un coup de bâton derrière la nuque. Il ricana, fier de sa manœuvre et cria quelque chose à ses compagnons. Ils essayaient de provoquer Venge, de lui faire perdre le contrôle. Risk s'avança d'un pas.

— La loi des forandres : il se transforme, il meurt,

commenta Lusse comme si elle annonçait le bulletin météo.

La loi des forandres stipulait qu'un changeforme devait demeurer sous son aspect le moins puissant — humain, donc. Cela signifiait que pour gagner, les autres combattants devaient le pousser à libérer la bête qui était en lui et à la laisser prendre le contrôle de ses actions. A ce petit jeu, la plupart des cerbères ne résistaient pas plus de quelques secondes.

— Depuis combien de temps se battent-ils ? s'informa Risk avec un détachement feint.

— Hein ? Oh, tu sais, je fais rarement attention au temps qui passe, à moins d'attendre la venue de quelqu'un, répondit-elle avec un calme calculé avant de sortir une petite montre d'une de ses poches. Mais dans la mesure où je t'attendais effectivement avec impatience, j'ai pris la peine de noter l'heure à laquelle les festivités ont débuté. Voyons un peu…

Elle marmonna et compta sur ses doigts.

— Ça doit faire près de dix-huit minutes de temps humain, maintenant.

— Tu l'as jeté là-dedans juste après mon départ ?

Interloqué, il venait de poser la question de trop, son esprit logique n'avait pas eu le temps de le lui déconseiller avec force. Par chance, Lusse ne sembla pas en prendre ombrage.

— Ma foi oui, sans doute. Il se débrouille plutôt bien, tout compte fait. Combien de temps as-tu tenu, rappelle-moi ?

Des semaines. Risk avait enduré ce supplice des semaines durant, mais il était plus vieux que Venge et contrôlait mieux ses instincts, et puis il ne sortait pas affaibli d'un combat contre son propre père… Sans compter les autres tortures que Lusse avait pu lui infliger entre-temps. A l'époque, elle avait fait à Risk la faveur de le jeter dans la fosse alors qu'il était en pleine forme — uniquement pour prolonger le supplice, à n'en pas douter.

— Je me demandais comment Venge s'en sortirait, mais avec un ascendant aussi prestigieux, j'espérais qu'il tiendrait au moins quelques jours. Ça ferait mauvais genre si le fils de mon mâle dominant échouait dès les premières heures, non ?

En contrebas, Sigurd la brute asséna un autre coup de bâton à Venge qui esquiva, exécuta une roulade et se remit en garde.

— Tu vois, il peut tenir des jours à ce rythme-là, peut-être qu'il y sera encore lorsque tu me ramèneras mes sorcières ? asséna Lusse en le piégeant dans les rets de son regard.

Voilà où elle voulait en venir. Elle comptait le forcer à accélérer ses recherches en menaçant son fils de mort. Mais Risk n'avait pas l'intention de se prêter à son petit jeu. Il se débarrassa de ses chaussures, enjamba d'un bond la rambarde et atterrit au milieu des combattants. La boue froide s'insinua entre ses doigts de pied et autour de ses paumes posées au sol. Il ignora la sensation, se concentrant sur les six mâles qui lui faisaient face. Leur chef, Sigurd, recula et fit signe d'élargir le cercle afin d'y inclure Risk.

— Je croyais que tu étais en mission, occupé à jouer les chiens de compagnie, *alpha* ? jeta Sigurd en empoignant son bâton, crachant le grade de Risk comme s'il s'agissait d'une insulte — point de vue que ce dernier partageait, d'ailleurs.

— Et tu en as eu assez de m'attendre, c'est ça ?

Risk glissa un regard à Venge, qui contracta les mâchoires.

— En quoi ce combat te regarde ? s'enquit Sigurd en faisant tournoyer son bâton comme un moulin.

— Ça, c'est mes oignons, répondit Risk avec un haussement d'épaules, scrutant le pourtour de la fosse, mais tu devrais appeler tes potes en renfort, ce serait un peu plus équitable, non ?

— Tu t'es absenté trop longtemps, ricana la brute.

— Non, pas de renforts, vraiment ? Ça me va. Un petit massacre vite fait bien fait. Ça m'arrange, j'ai d'autres chats à fouetter.

Sigurd le fusilla du regard. Risk commença à le contourner, mais il se mit en garde.

— Et elle ? l'interrogea Sigurd en désignant Lusse.

— Tant qu'il y a du sang, elle se moque de savoir à qui il appartient, répondit Risk sans le quitter des yeux.

— Dans ce cas, je suis d'accord, affirma Sigurd en levant son arme.

— Pas moi ! rugit Venge en se précipitant au centre du cercle, percutant Risk sur le flanc et l'envoyant rouler dans la boue.

Un peu plus tard dans la matinée, Kara prit un taxi qui l'emmena à l'Antre du Gardien. Risk lui avait gentiment laissé sa Jeep — lui aussi avait dû partir en taxi — mais Kara voulait retrouver sa voiture. Si elle avait pris celle de Risk, elle aurait été forcée de la laisser dans cette partie mal famée de la ville. Elle régla la course au chauffeur, referma la portière et se dirigea droit vers le bar.

Après la façon dont s'était passée sa dernière visite, elle n'avait aucune envie de traîner dans le coin. Elle poussa la barre d'ouverture de la porte, décidée à en apprendre plus sur la disparition de sa sœur. L'Antre du Gardien était un endroit nettement moins intimidant en plein jour, beaucoup plus sale aussi. Elle écarta un mégot du bout du pied ; oui, vraiment beaucoup plus sale. Les néons étaient teintés de crasse et de restes d'insectes morts, et le sol poisseux de bière renversée s'accrochait à ses semelles.

Mais elle était dans la place et à la faveur des rayons de soleil qui filtraient à travers les fenêtres sales, elle se rendit compte que ce n'était rien qu'un bouge banal.

Forte de ses nouveaux pouvoirs, elle redressa les épaules et marcha vers le comptoir de bois noir qui courait le long de la pièce. Le barman qui avait refusé de répondre à ses questions quelques nuits auparavant était en train de tapoter sur le clavier d'un ordinateur dissimulé sous le bar. Elle avança vers lui et frappa du poing sur le zinc. Forte, sûre d'elle.

Deux yeux d'un bleu si pâle qu'il en était presque surnaturel se levèrent sur elle et elle recula d'un pas.

Il lui lança un rapide regard étonné, puis se remit à pianoter comme si de rien n'était. Kara en profita pour l'étudier de plus près. L'autre nuit, elle avait été trop occupée à s'enfuir pour faire attention à lui.

Il était grand, pas aussi grand que Risk ni aussi costaud, mais à l'évidence il s'entretenait : ses pectoraux avaient vu défiler leurs lots d'haltères. Même sa nuque — qu'elle aperçut lorsqu'il se pencha sur l'ordinateur — était musclée. A l'exception de ses yeux, c'était un homme sombre, le teint très mat, les cheveux de jais… et d'une humeur massacrante.

— Je peux vous aider ? demanda-t-il en levant un sourcil, tout en la détaillant des pieds à la tête.

Kara inspira par le nez, récita mentalement son mantra : *confiante, forte.*

— Je suis venue l'autre nuit. Je cherche ma sœur. Elle me ressemble, mais elle est plus…

Elle allait dire *plus forte*, mais ce n'était plus vrai désormais.

— Elle me ressemble, répéta-t-elle en bombant le torse.

— Je peux rien pour vous, conclut-il en sortant un verre humide de l'évier pour le poser sur l'égouttoir.

— Mais…

Kara se mordit la lèvre. *Il sait forcément quelque chose.*

— … Je sais qu'elle est venue ici, j'ai retrouvé ça dans ses affaires.

Elle ouvrit la main et lui montra la boîte d'allumettes.

— Vous tombez sur des allumettes et vous en déduisez qu'elle est ici ? Regardez autour de vous…

Par-dessus son épaule, Kara jeta un œil au bar presque entièrement vide. Un homme occupait la banquette où elle s'était assise lors de sa première visite. Il avait un bandana aux couleurs d'un gang noué sur le front et un cendrier plein de mégots fumait devant lui.

— Je ne dis pas qu'elle est là *en ce moment* ! répondit-elle avec une exaspération manifeste. Je ne suis pas en train de vous demander de faire un truc dingue, genre… elle fit un geste large qui engloba le bar… faire le ménage ! Contentez-vous de me dire si elle était là il y a deux semaines.

Il croisa les bras sur sa poitrine et lui lança un regard assassin. Pendant un moment, elle crut que sa petite comédie avait été efficace, jusqu'à ce qu'il lui dise de rentrer chez elle, avant de longer le bar pour aller trier des factures.

Bon sang ! Elle se concentra sur une pile de papiers posés près d'elle, tendit la main et pria. *Attire son attention.*

Un petit vent se leva autour d'elle, faisant virevolter ses cheveux et elle réprima un frisson déplaisant. Pourquoi est-ce que ce n'était pas aussi agréable que la première fois ? Elle repoussa la question à plus tard et se focalisa sur son objectif.

Un juron étouffé récompensa ses efforts. Elle ouvrit les yeux et vit le barman saisir une feuille de papier un peu roussie, avant de venir droit vers elle, furieux.

L'homme avait certes l'air menaçant, mais c'était le papier dans sa main qui retenait l'attention de Kara. Un minuscule panache de fumée s'élevait de l'angle du document. C'était tout ? Elle n'était pas capable de faire plus que ça ? Rien à voir avec le verre brisé !

— Comment vous avez fait ça ? lui demanda-t-il en se penchant par-dessus le bar. Cet endroit est neutre. Seuls les protecteurs peuvent... Ce genre de tours...

Il jeta un œil par-dessus son épaule en direction de l'homme attablé et désigna le papier roussi.

— Rentrez chez vous, répéta-t-il en plaquant ses paumes sur le zinc. Je ne sais pas à quoi votre cerbère pensait en vous laissant fureter seule par ici, mais dites-lui que le Gardien a reçu des consignes pour vous tenir éloignée. Les petites sorcières bornées ont une fâcheuse tendance à disparaître dans le coin.

Sans un mot de plus, il releva un pan du bar, se dirigea droit vers la porte qui flanquait le zinc et disparut dans un couloir sombre.

Kara resta paralysée, les yeux écarquillés. *Les petites sorcières bornées ont une fâcheuse tendance à disparaître dans le coin.* C'était une menace? Est-ce qu'il avait enlevé Kelly? Elle ravala la bile qui lui montait aux lèvres et se força à le suivre. Juste devant la porte, l'air semblait immobile. Etrangement immobile, pesant sans pour autant être chaud, comme lorsque l'on pénètre dans un vieux grenier poussiéreux que personne n'a visité depuis des lustres. Elle renifla, la bouche sèche, s'attendant presque à percevoir un parfum de naphtaline.

Rien. Pas même l'odeur âcre de cigarette et de bière qui empuantissait le reste de l'établissement. La porte elle-même n'avait rien d'extraordinaire et il n'y avait pas de signe de danger ou de catastrophe imminente; pourtant quelque chose clochait. Son cœur s'accéléra et ses mains se mirent à trembler. Oui, il y avait vraiment quelque chose qui clochait.

Normal ou pas, Kelly avait disparu et ça, ça clochait gravement. Elle se donna mentalement un coup de pied au derrière et tendit la main vers le passage. Rien.

Elle éclata d'un petit rire. Dieu qu'elle était ridicule. C'était juste une porte, qui menait sans doute aux toilettes! Elle se passa une main sur le front et franchissant le seuil, se retrouva dans la pièce qu'elle venait de quitter.

Qu'est-ce que c'est que ce truc? Elle regarda autour d'elle... aucun doute possible, la porte se trouvait maintenant derrière elle. Mais comment? Marmonnant un juron incompréhensible, elle revint vers la porte et toqua vivement sur le bois qui résonna de façon tout à fait normale. Non, elle n'était pas folle. Elle sentit alors les cheveux de sa nuque se hérisser, saisie par la sensation que quelqu'un l'observait. D'un air aussi détaché que possible, elle avisa le petit mec effrayant avec son bandana de gang, qui la regardait derrière le panache de sa cigarette à moitié consumée.

Kara réprima le rire nerveux qu'elle sentait monter en elle. Manifestement ce type, défoncé à Dieu savait quoi, l'avait vue franchir une porte qui ne menait nulle part ; il n'y avait vraiment aucune raison de se sentir gênée, il devait voir ça tous les jours…

Elle avait tout de même réussi à glaner quelques infos, cela dit. Le barman était clairement au courant de l'existence des sorcières et de leurs disparitions, et puis il avait eu ce mot étrange au sujet d'un cerbère, le terme méritait une petite recherche sur internet et une discussion sérieuse avec Risk. Il y avait peu de chance pour que le barman revienne avant longtemps. Elle jeta à tout hasard un œil dans le passage sombre, mais ne vit rien. Pourtant la sagesse lui dictait de vérifier encore. Oui, si elle était pragmatique, c'était ce qu'elle devrait faire.

Elle serra les poings, prit une bonne inspiration et franchit de nouveau le seuil enténébré. Cette fois, elle se retrouva à l'extérieur du bar ! Elle leva les yeux, le cœur battant. L'enseigne de l'Antre du Gardien se balançait au-dessus de sa tête, accrochée à deux chaînes. Le crissement des anneaux et l'air frais sur lequel dansaient de minuscules flocons terminèrent de la convaincre qu'elle était bel et bien dehors.

Elle se retourna et posa la main sur la poignée, avant de se raviser. Cette porte ne menait nulle part, ou plutôt, elle pouvait la mener n'importe où.

Une rafale soudaine vint frapper la pancarte au-dessus de sa tête et l'une des chaînes se rompit. Kara fit un bond pour l'éviter et vint se cogner contre la porte. Elle resta assise là un moment, le souffle court. *Cette porte peut s'ouvrir sur n'importe quel lieu*, se répéta-t-elle. Elle posa son front contre le bois froid. Difficile de s'en convaincre, mais elle devait faire cette démarche. Si elle franchissait de nouveau ce seuil, elle pouvait se retrouver virtuellement n'importe où... en Sibérie, sur Mars, en enfer... elle se frotta doucement le front contre le montant. Le truc, c'est qu'elle pouvait sans doute se retrouver piégée de l'autre côté.

Sa Honda n'était qu'à quelques pas, attendant sa passagère, et elle représentait un choix nettement plus raisonnable que de sauter dans l'inconnu sans filet. Pourtant, malgré la logique implacable de son raisonnement, elle hésitait. Partir lui laisserait dans la bouche le goût de l'échec, et elle commençait à en avoir assez d'échouer.

Elle serra une nouvelle fois les poings en secouant la tête. Il était temps de réunir ses affaires et de retrouver Risk, elle n'apprendrait plus rien ici, et il n'y avait pas de honte à demander un coup de main de temps à autre.

Elle se frotta les épaules pour se réchauffer un peu et jeta un œil en direction du parking, là ou elle s'était retrouvée face aux chiens. Le soleil qui brillait ne la réchauffait guère, mais la lumière qu'il dispensait était une bénédiction dans cet endroit.

Pas trace de chiens cette fois-ci, se dit-elle pour se rassurer, rien que quelques mètres d'asphalte et de neige à franchir avant de rejoindre sa Honda, de prononcer quelques mantras de circonstance et de cajoler le véhicule pour qu'il accepte de la ramener chez elle.

Il ne pouvait rien lui arriver de désagréable sous un ciel aussi lumineux. Elle jeta un dernier regard circulaire avant de se diriger vers sa voiture.

Risk tomba au sol avec un grognement, Venge lui ceinturant la taille. Au-dessus d'eux, Lusse brandissait le bandage ensanglanté comme un appât.

Salope.

Risk marmonna un juron et plaqua ses mains sur les épaules de Venge afin de le repousser. Le garçon ne bougea pas.

Les talons plantés dans la boue, Risk luttait pour se dégager, mais Venge ne le laissait pas faire. A moins de se transformer, Risk ne voyait pas comment il allait se dépêtrer de la prise de son fils, et il refusait de quitter son apparence humaine, cela mettrait trop de monde en danger : Kara, Kelly et son fils, même si ce dernier ne s'en rendait pas compte.

Les muscles tendus, Risk bataillait pour empêcher les doigts de Venge de se refermer sur sa gorge.

— Tu fais son jeu, murmura-t-il à son fils, c'est ça qu'elle veut, nous voir nous battre. Tu ne fais que renforcer son autorité et son pouvoir. C'est de ça qu'elle se nourrit, elle nous vole notre énergie pour l'utiliser plus tard contre nous.

Venge replia ses jambes et vint percuter de la tête la cage thoracique de son père, les enfonçant tous deux un peu plus profondément dans la boue. La terre molle et visqueuse de sang s'insinua dans les cheveux de Risk, lui submergea l'épaule et le ventre, mais la nouvelle posture de Venge lui offrit une ouverture inespérée.

Il enfonça volontairement son crâne dans la terre meuble, replia ses pieds sous ses fesses et s'arc-bouta en envoyant à son adversaire un coup violent dans le ventre. Venge passa au-dessus de lui et son dos vint heurter le sol dans un geyser marron.

Risk se secoua et se remit debout. Venge resta sonné quelques secondes avant de se relever d'un bond, comme enragé.

Risk commençait lui-même à voir rouge. Il serra les

poings, repoussa la vague de colère qui menaçait de le submerger et jeta un regard circulaire aux autres mâles. Tous les cinq se trouvaient désormais derrière le rideau d'énergie séparant les combattants des spectateurs. Risk nota que pour la première fois, les gradins étaient combles, tous les cerbères de Lusse avaient laissé leur tâche de côté pour assister à l'événement du jour.

Risk fut heureux de constater que le combat n'impliquait plus qu'eux deux — jusqu'à ce que Lusse en décide autrement, en tout cas. Il adopta une posture défensive basse.

— Tu n'es qu'un jouet entre ses mains, reprit Risk, tu es plus intelligent que ça, du moins tu devrais l'être.

Il secoua sa main, envoyant la boue qui lui collait aux doigts voler vers le ciel bleu acier.

Venge laissa échapper un grognement de dédain en avançant d'un pas.

Risk approcha lui aussi, faisant glisser son pied dans la boue. Ses orteils heurtèrent quelque chose de solide. Il palpa l'objet du bout du pied sans quitter Venge du regard. C'était dur et tubulaire ; le bâton de Sigurd.

— Pourquoi as-tu autant de colère en toi ? demanda-t-il en se déplaçant de façon à se trouver à l'aplomb de l'arme.

Venge ne répondit rien, fronça les sourcils, les poings serrés devant lui.

Une bise froide passa sur la fosse, amenant aux narines de Risk la colère de son fils, sa détermination, et l'odeur électrique de son pouvoir.

Venge perdait pied, il était sur le point de se transformer. La seule façon de l'en empêcher, c'était de le vaincre dans les secondes qui venaient.

Risk marmonna qu'il était désolé, sachant que Venge

s'en moquait puis il se baissa vivement et récupéra le bâton, faisant voler des paquets de boue. Il fit un bond et dans un rugissement, atterrit près de son jeune adversaire.

Venge vrilla sur son père un regard qui virait lentement au rouge cramoisi. Risk brandit alors le bâton et l'abattit sur le visage de son fils avant de lui laisser le temps d'opérer sa transformation, sentant lui-même la bête poindre au seuil de sa conscience.

Venge tomba à genoux. Du sang coulait déjà de la plaie que le bâton venait d'ouvrir, traçant un sillon carmin qui vint lui couler dans les yeux. Ses pupilles devinrent fugitivement rouge écarlate, puis il s'effondra dans la boue, inconscient.

Dans un rugissement, Risk propulsa le bâton contre la paroi. L'arme éclata en un millier d'échardes et l'impact propulsa une myriade de gouttelettes de boue dans l'arène. Derrière le rideau d'énergie, les cerbères demeuraient silencieux.

Risk venait-il d'aider son fils, ou l'avait-il placé dans une plus mauvaise posture encore ? Les autres mâles connaissaient Risk et ses tactiques, ils savaient qu'il aurait tout aussi bien pu tuer le jeune cerbère ou le laisser achever sa transformation, ce qui serait revenu à signer son arrêt de mort. Verraient-ils désormais en Venge une proie facile ? Comprendraient-ils qui était son père ?

Le cerbère s'avança jusqu'à la silhouette immobile allongée au sol. Il devait asseoir sa victoire avec un geste fort afin de leurrer l'assistance, c'était une nécessité absolue. Les bras levés en signe de victoire, il replia la jambe avant de l'abattre, écrasant le visage de son fils dans la boue.

10

Dans un mugissement bestial, Risk contourna son fils inconscient et posa son regard sur Lusse. Elle était accoudée à la balustrade, le bandage ensanglanté s'agitant dans le vent au creux de sa main. Les yeux étincelants, elle lâcha le morceau d'étoffe carmin et d'un simple geste, modifia le sens du vent afin qu'il termine sa course aux pieds de Risk.

Ce dernier hocha la tête et se baissa pour ramasser son cadeau avant de grimper à l'échelle qui permettait de se hisser hors de la fosse.

— Je ne crois pas t'avoir permis de partir, intervint-elle en frappant la rambarde de sa badine.

— Le combat semble pourtant avoir été à ton goût, répliqua-t-il en brandissant le bandage.

— C'était très divertissant et tout à fait instructif, admit-elle avec cynisme.

— Mes efforts n'auront donc pas été vains, rétorqua Risk en se tournant vers l'arène.

Instructif. Sans doute sa petite mise en scène à la fin de l'affrontement n'avait-elle pas été suffisamment convaincante.

— C'est donc toujours Sigurd le responsable de l'entraînement ? demanda Risk en réprimant un petit rire.

Entraînement... Cette mascarade tenait davantage de l'exorcisme inversé. L'objectif que poursuivait Lusse demeurait inchangé, elle encourageait la bestialité, peu lui importaient les cerbères et leurs tourments.

— Tu le saurais si tu tenais davantage ton rôle d'alpha, de mâle dominant, plutôt que de jouer à la poupée avec les humains. Bien sûr, il ne tient qu'à moi d'y mettre un terme définitif, je pourrais t'interdire l'accès à leur monde…

Risk se tendit insensiblement, avant de relâcher aussitôt ses muscles.

— Qui te ramènerait tes sorcières, dans ce cas?

Elle se tapota le menton du bout de la badine.

— Sigurd? Venge — une fois mieux entraîné?

Elle s'avança, et se colla contre l'échine du cerbère, lui agaçant l'oreille de sa cravache.

— Je sens son parfum sur toi, tu sais, ajouta-t-elle dans un murmure. Pas besoin d'avoir l'odorat d'un cerbère pour sentir que tu empestes la sorcière et le sexe.

Risk continua de fixer l'arène au fond de laquelle gisait le corps de son fils. Il vit Sigurd, accompagné de deux autres mâles, l'emporter hors de la fosse.

— Je n'ai fait que t'obéir, j'ai utilisé mes talents pour gagner sa confiance.

— Et c'est vraiment tout? lui chuchota-t-elle.

— Evidemment, qu'aurais-je fait d'autre? Et ça a marché, je dois dire, j'ai appris des choses au sujet de l'autre sorcière.

— La morte? Celle qui a servi d'amplificateur? Il se peut que j'aie un moyen de retrouver notre voleur de sorcières, du moins, un moyen de nous mener à la disparue.

Elle s'adossa à la rambarde, près de lui.

— As-tu déjà fait la rencontre d'un garm, dans ce petit monde humain que tu aimes tant?

Risk tressaillit. Les garms, les forandres loups… ils ne s'entendaient pas exactement avec les cerbères. Non pas que les cerbères soient amis avec qui que ce soit, mais en tant que chasseurs, ils étaient les ennemis naturels des garms, dont la seule passion était de protéger et de garder, peu leur importaient les morts et les destructions éventuelles que cela pouvait impliquer.

— J'évite de me mettre sous le vent des garms.

— Si tu veux retrouver ma sorcière, tu vas pourtant devoir le faire. Les garms veillent sur les portails et je suspecte notre voleur de s'être retranché quelque part, là où personne ne peut percevoir son pouvoir croissant. Cela signifie nécessairement que son nid d'aigle se trouve sur un monde protégé, accessible uniquement au moyen d'un portail. Trouve le garm, tu trouveras le portail, conclut-elle.

— N'importe lequel ?

— Il existe une sorte de hiérarchie, soupira-t-elle, tous les garms ne possèdent pas un pouvoir suffisant pour contrôler un portail, mais si tu mets la main sur l'un d'entre eux, il saura sans doute t'indiquer l'un des siens qui en sera capable.

Une forte odeur de testostérone l'informa que Sigurd et les autres arrivaient. Risk prit un air dégagé et blasé.

— Ton chiot, Lusse, annonça Sigurd, tandis que deux mâles faisaient rouler le corps à ses pieds sur le dallage noir.

Craignant que son vieil ennemi ne se doute de son lien avec le garçon, Risk s'autorisa un rapide coup d'œil en direction de Sigurd, mais constata qu'il ne quittait pas Lusse du regard.

— Oui, mon chiot, répéta Lusse en se tournant vers Risk.

Venge remua, leva fugitivement la tête et la laissa retomber lourdement sur le sol.

— As-tu honte de lui à ce point, mon alpha ? Voilà qui va me compliquer la tâche, si je veux qu'ils survivent dans le chenil, fit remarquer Lusse en passant son bras sous celui du cerbère.

Risk s'attendait à souffrir lui aussi. Venge remua faiblement et Risk contempla la forme meurtrie de son fils avant de lancer :

— Tu pourrais peut-être le mettre en cage ?

— En cage ? s'étonna la sorcière. Curieuse suggestion, je pensais que tu avais de l'affection pour lui.

— Je me contente d'agir dans ton intérêt. Il est d'une lignée forte, comme tu l'as toi-même fait remarquer, ce serait dommage de le perdre avant qu'il ait fait ses preuves.

— Mais la cage, tout de même, c'est si froid !

Et si parfaitement sûr, ajouta Risk pour lui-même. Jamais les autres mâles ne pourraient alors attenter à sa vie.

— Ça pourrait être une idée, décida Lusse, les poings calés sur les hanches. Ce qui me rappelle que tu mérites une petite récompense.

Risk sentit sa gorge se serrer ; il s'attendait au pire.

— Tu es sur la piste de ma sorcière, mais lorsque tu trouveras le garm, qui sait quels trésors fabuleux tu pourrais découvrir ? Voici ce que je t'offre : ramène-moi mes jumelles et je te donnerai quatre de mes cerbères en retour, annonça-t-elle en désignant les autres mâles présents.

Les traits de Sigurd se figèrent et ses compagnons dévisagèrent tour à tour Risk et la sorcière, interdits. Risk n'était pas moins surpris par cette décision.

— Un cerbère qui en posséderait d'autres, voilà qui est inédit ! pouffa Lusse

— Il revient à lui, annonça Sigurd en s'avançant vers Venge et en le menaçant de son bâton, tandis que le garçon relevait la tête, ses yeux rouges fixés sur son père.

— La cage ? demanda Lusse à Risk qui acquiesça. Emmenez-le, ordonna-t-elle, avant d'ajouter dans un éclat de rire en prenant Risk par le bras :

— Et si nous allions chevaucher ensemble ?

Le cerbère traversa le chenil en sa compagnie, ignorant le regard haineux de son fils.

Quelle idée elle avait eu de se garer aussi loin ! Le trajet depuis l'Antre jusqu'à sa voiture lui semblait interminable et en dépit du soleil, elle avait le sentiment croissant d'être suivie.

Kara refusait de se laisser gagner par la peur. Le menton haut, elle pivota sur elle-même, paumes ouvertes, prête à distribuer une rafale d'énergie. Rien qu'un parking vide couvert de neige. *Tu vois, il n'y a rien.* Elle reprit son chemin vers la Honda. Un bruit de pas sur le bitume lui glaça brusquement le sang. Une fraction de seconde plus tard, un avant-bras vint lui écraser la gorge, la privant momentanément d'air. Elle sentit quelque chose de froid se poser contre sa nuque.

— Bouge pas sorcière, gronda une voix d'homme, j'ai une lame foudre.

Un éclair bleuté à la lisière de son champ de vision lui apprit que l'homme ne mentait pas.

— J'compte pas l'utiliser, O.K. ? Mais à ce qu'on dit, ça fait un mal de chien ce truc, pire qu'un coup de couteau.

Il raffermit sa prise et Kara fut forcée de reculer. Il empestait la bière, le tabac et l'huile de moteur. Elle tourna légèrement la tête et la pointe de l'arme pénétra dans sa chair. Elle sentit ses jambes la trahir tandis que ses yeux se fermaient sous le coup de la douleur.

Quelle imbécile elle faisait ! Comment avait-elle pu s'imaginer qu'elle pourrait se débrouiller seule ?

— Doucement la greluche, ricana-t-il. Le Gardien raconte que tu traînes avec les clébards ? J'ai rien contre, note, s'esclaffa-t-il derechef d'une insupportable voix nasillarde où perçait la folie.

Chien, cerbères. Qu'avait dit le barman déjà au sujet de Kara et de son cerbère ? Elle se tordit le cou pour mettre de l'espace entre sa peau et la lame.

— Je pense que vous faites erreur sur la personne, je déteste les chiens.

— Eh ben, comme ça on est deux !

Il la tira en arrière et ses talons tracèrent deux sillons parallèles dans la neige. Qu'est-ce qu'il voulait bon sang ? L'arme, le bar… tout ça lui rappelait la vision à la morgue. Est-ce que c'était ce qui était arrivé à Kelly ?

Ils atteignirent le muret en ciment qui délimitait le parking. Son ravisseur sembla hésiter.

— Il y a une dizaine de mètres entre ici et l'Antre. Est-ce que tu vas être une gentille petite sorcière et me suivre sans faire d'histoires ? Parce que sinon, il va falloir que je… il fit crépiter la lame foudre à quelques centimètres du visage de Kara. Non seulement ça va faire mal, mais ça va geler tes pouvoirs. Terrible, hein ?

Un flocon atterrit sur le nez de la jeune femme. Elle avait toujours aimé la neige… jusque-là.

— Alors, qu'est-ce que t'en dis ? T'es partante ? Comme

ça moi j'ai ma dope et toi t'as droit à un aller simple à travers le portail, sans trop morfler.

Un autre flocon se posa sur un cil de Kara avant de fondre contre son œil. Elle n'était pas vraiment d'humeur à négocier quoi que ce soit et il avait commis l'erreur de la tenir par les bras, de sorte qu'elle avait les mains libres. Il lui suffisait de plier les coudes pour expédier à son agresseur une décharge en plein visage. Elle inspira, invoqua l'image mentale de Risk, et se prépara au combat. Ses coudes se plièrent d'eux-mêmes et le pouvoir se mit à crépiter le long de ses terminaisons nerveuses.

— Houla, non, tu devrais pas faire ça!

L'éclair bleuté jaillit de nouveau et elle sentit une odeur de cheveux brûlés.

Elle n'était pas encore prête, elle avait besoin de quelques secondes supplémentaires... Pas le temps de réfléchir. Elle ferma puissamment les paupières pour oublier la présence menaçante de la lame foudre et canalisa son énergie vers l'extrémité de ses doigts.

L'homme derrière elle émit un petit cri. Il fut projeté sur le côté par le choc. La lame quitta la gorge de Kara et glissa sur son épaule, lui grillant quelques cheveux au passage; elle était libre, libre mais incapable de bouger, aussi épuisée que si elle venait de terminer un marathon.

Son assaillant rampait à quelques pas. La lame foudre gisait au sol à quelques mètres. L'homme la ramassa avec un regard mauvais.

— Tu pensais pas que ce serait aussi simple, hein, dis? Maintenant ça va faire vraiment mal, dit-il en basculant un interrupteur sur le côté de l'arme étrange.

Il se releva péniblement. Kara ne bougea pas et se força à respirer lentement. Elle n'avait plus la moindre once de pouvoir en elle, elle était vidée. Autant se battre contre un grizzly avec un revolver déchargé.

Lusse leva le visage vers le ciel floconneux. Les petites particules glacées venaient mourir sur ses cils argentés et sur ses pommettes, où elles demeuraient intactes.

Risk serra le poing autour du bandage ensanglanté. Il avait vraiment autre chose à faire que de se soumettre aux petits jeux de Lusse. Son fils était temporairement en sécurité, mais Kara était seule et il y avait quelque part un dingue qui enlevait les sorcières. Il devait tenir compte des événements récents : ce cadeau que Lusse souhaitait lui faire, et surtout ce qu'il savait désormais au sujet des garms.

— Combien penses-tu qu'il existe de portails ? lui demanda-t-il.

— Combien ? Je l'ignore. Les dieux et les garms sont très cachottiers sur ce sujet.

— Alors comment font ceux qui les empruntent pour les localiser ?

— Ils se débrouillent ! cracha-t-elle dans un nuage de vapeur glacée. Il est sans doute temps pour toi de repartir, ajouta-t-elle en battant la semelle avec un agacement évident.

Risk ne demandait que ça. Il s'inclina légèrement, fit un pas en arrière et disparut dans un scintillement.

Kara recula. Son talon rencontra le muret de ciment qui bordait le parking et elle tomba assise dans la neige. L'homme se rapprocha, l'arc bleuté de son arme se détachant à peine sur le ciel matinal. Elle tâtonna derrière elle, mais ses doigts ne se refermèrent que sur la neige qu'elle lui jeta au visage dans un geste désespéré. Le projectile improvisé percuta la lame foudre et s'évapora dans un sifflement.

— Ça, ça sert à rien, ma petite. Je vais t'envoyer la décharge dans le bras, y paraît que c'est là que ça fait le moins mal, annonça-t-il en lui enfonçant son genou dans le ventre, sa main se refermant sur sa gorge.

Kara lança son poing et le frappa à la tête.

— Hé ! Ça fait mal, lâcha-t-il, va falloir que j'arrête d'être gentil avec toi, m'est avis.

Un éclat mauvais au fond des yeux, il leva sa main armée. La flamme bleue se rapprocha du visage de Kara qui tenta une parade de l'avant-bras, parvenant à dévier légèrement sa course. Au même instant, un rugissement retentit, faisant trembler le sol.

L'homme qui la maintenait au sol leva les yeux.

— Je ne lui faisais pas de mal... Dis-lui, toi, sorcière, que je te faisais pas de mal, hein ? bredouilla-t-il, blême.

Kara s'éloigna en se massant le bras.

— Je cherche pas les ennuis, d'accord. Je m'étais juste arrêté pour boire un coup, bégaya le type en fixant un interlocuteur hors du champ de vision de la jeune femme.

Il y eut un grondement derrière Kara qui lui fit dresser les cheveux sur la tête. Non, c'était impossible, pas les chiens...

Risk avisa l'homme qui agressait Kara à l'instant même où il se matérialisait sur le parking de l'Antre. Il la vit reculer et dévier la lame foudre.

Une colère blanche l'envahit. Sans même réfléchir,

il laissa parler ses instincts et il ne fallut que quelques secondes pour que la magie de la transformation opère. Ses vêtements tombèrent au sol et des poils argentés lui tombèrent sur les yeux. Il les repoussa d'un mouvement de tête, s'accoutumant rapidement à l'acuité extrême de ses sens.

Le sol était froid et humide sous ses pattes et il lui tardait de mettre ses muscles en mouvement dans une course effrénée, de sentir le vent dans sa fourrure tandis qu'il poursuivrait sa proie.

Il huma l'air, et ses oreilles se dressèrent, à la recherche de sons inaudibles tant aux humains qu'aux chiens ordinaires.

Sa proie était toute proche, il pouvait la sentir, il pouvait l'entendre. Il tourna la tête en direction des fragrances de terreur et de désespoir qui émanaient de Kara tandis qu'elle luttait pour se défendre. Risk n'avait aucun besoin de ses sens pour percevoir la peur de la jeune femme, il la ressentait. Les muscles tendus, il retroussa ses babines.

L'agresseur de Kara marmonna quelque chose avant d'abattre son arme scintillante sur la jeune femme, les yeux écarquillés de terreur.

Risk rugit et la colère se déversa en lui comme une rivière de flammes.

Chasser. Tuer. Détruire.

Il s'élança à travers le parking.

L'animal massif n'était qu'à quelques mètres, les pattes solidement plantées dans le sol, ses babines retroussées révélant des canines brillantes. Ses yeux luisants étaient rivés sur l'homme qui s'éloignait d'elle à présent, la lame foudre toujours en main traînant dans la neige.

— Elle ne m'a rien dit, se défendit-il, elle m'a pas dit qu'elle appartenait à un forandre. J'ai vraiment pas de bol d'avoir affaire d'abord à un garm puis à un cerbère. J'suis pas du genre à m'inviter sur le territoire des autres, moi.

Le type parlait au chien comme si l'animal était capable de le comprendre… Kara continua de se déplacer, jusqu'à heurter le mur de l'Antre du Gardien. Le chien semblait ne se soucier que de l'homme, c'était peut-être sa chance de s'échapper et de laisser l'inconnu à la lame foudre se débrouiller tout seul.

Le type recula et son arme crépita en heurtant une congère.

Kara s'accroupit, prête à s'élancer, guettant une ouverture.

Le chien s'approcha d'un pas, la gueule tendue vers sa victime, et il poussa un hurlement propre à pétrifier n'importe qui sur place ; Kara se mordit la lèvre au sang.

La mort. Ce cri, c'était le chant de la mort, une mort violente, douloureuse. Maudite soit sa lâcheté, elle était incapable de fuir, malgré l'imminence de la menace. Elle leva les mains devant elle, paumes en avant dirigées vers le chien.

Le pouvoir… Elle avait besoin d'amasser de la puissance. Elle se concentra sur des sensations de vigueur, de sang-froid absolu, et une chaleur familière naquit au bout de ses doigts ; elle se sentait forte. La puissance afflua alors brusquement dans tout son corps. L'énergie était présente dans chacune de ses respirations et lorsqu'elle rouvrit les yeux, le paysage lui-même semblait transformé.

Le chien était nimbé d'un halo rouge qui tendait vers

le bordeaux à mesure que son cri gagnait en intensité. L'homme face à lui, toujours à quatre pattes, n'émettait qu'une vague lueur jaune.

Qu'avait dit Risk au sujet des sorcières ? Qu'elles aspiraient la puissance qui se trouvait dans leur environnement ? Etait-elle en train de voler au chien sa puissance pour la retourner contre lui ?

Les mains toujours tendues, elle déglutit. Elle pouvait le faire, elle était capable de tuer ce chien, de voler sa vie, comme son semblable l'avait fait avec Jessie. Elle allait l'envoyer en enfer.

Les yeux rivés sur l'animal, elle prit une nouvelle inspiration et déchaîna une tempête d'énergie.

11

Risk mit fin à son hurlement de mort. Sa proie était recroquevillée sur elle-même, terrassée par son cri. Le démon en lui regrettait que cette mise à mort soit si aisée. *Cours*, ordonna télépathiquement Risk à sa proie — pouvoir dont il disposait uniquement sous sa forme canine. L'homme regarda fugitivement son bourreau, puis son regard se porta au-delà et une lueur d'espoir apparut dans ses yeux.

Risk se retourna en réalisant que l'air avait changé de texture ; quelqu'un aspirait l'énergie ambiante, une silhouette accroupie au pied du mur du bar. Kara.

Avant même qu'il ait eu le temps de former une pensée cohérente, deux rayons bleutés vinrent le frapper. Kara l'avait attaqué.

L'espace d'un instant, mille questions fusèrent. Avait-il vu juste lorsqu'il l'avait découverte inconsciente dans son cercle de protection ? Avait-elle réellement essayé de le piéger ? Avait-elle à présent l'intention de le tuer ou de le capturer ?

Non. Même si sa forme bestiale altérait ses facultés, il savait que c'était faux. Aux yeux de Kara, Risk et le chien étaient deux entités bien distinctes.

La brûlure décrut et là-bas, près du bâtiment, Kara se remit debout. Elle respirait avec difficulté et ses membres tremblaient. *Qu'est-ce qu'elle fichait bon sang ?*

Risk se releva, décidé à la rejoindre, et ressentit comme une déflagration silencieuse. De nouveau l'énergie était aspirée… hors de lui.

Elle était en train de lui voler ses pouvoirs ! Il aurait dû s'y attendre, il avait lui-même expliqué à Venge que c'était de cette façon que Lusse s'y prenait, même si la sorcière blanche se contentait, elle, d'aspirer l'excédent, à la manière d'une éponge. Ce que Kara mettait en œuvre requérait d'ordinaire un rituel bien précis que même Lusse peinait à mettre en branle sans les outils et la préparation adéquate.

Ce rituel ne pouvait avoir qu'une seule issue : la mort pour la cible et une dépendance éternelle à ce sentiment de puissance pour le bourreau.

Kara sentit le pouvoir affluer, plus vite et plus fort que la première fois. Elle avait l'impression de sentir les basses puissantes d'un concert de rock résonner dans son ventre. En ouvrant les yeux, elle contempla les lignes d'énergie rouge qui parcouraient le parking et les accueillit à bras ouverts.

Toutes ces choses qui devenaient possibles : sauver Kelly, se sauver elle-même. Elle n'aurait plus jamais peur, ce serait aux autres de la craindre… *Non*, objecta une infime partie d'elle-même. *Pas ça. Ce n'est pas ça que tu souhaites.*

Une autre vague d'énergie afflua et elle en savoura la chaleur, les yeux clos. Comme c'était grisant ! Elle aurait facilement pu devenir dépendante de cette sensation, ne vivre que pour ça.

— Kara !

La voix de Risk s'insinua dans son esprit.

— Kara, romps le lien ! Tu ne pourras pas supporter un tel afflux, tu n'y survivras pas.

Kara tressaillit. Risk ? Mais qu'est-ce qu'il faisait là à jouer les trouble-fête ? Elle avait besoin de cette sensation de puissance, elle *voulait* se sentir puissante.

Une autre vague d'énergie vint rouler sur sa peau. Elle se cambra et rejeta la tête en arrière, laissant grandes ouvertes les portes de son âme. Trop puissant cet afflux ? Non, ce ne serait jamais trop, jamais assez. Elle aspirerait le chien, puis l'homme, puis tout ce qui recélait la moindre étincelle de magie ; elle allait aspirer l'univers tout entier.

— Kara !

La voix se fit plus pressante.

— Kara, tu dois arrêter immédiatement, tu vas nous tuer. Qui sauvera Kelly ?

Tuer Risk ? Se tuer elle-même ? Mais de quoi parlait-il ? Elle n'avait pas l'intention de… ça n'avait aucun sens. Et puis où était-il ? Elle parcourut le parking du regard, mais il n'y avait là que son agresseur et le chien.

— Kara, regarde-moi, dit de nouveau la voix.

Elle tourna vivement la tête. L'homme à la lame foudre ? Est-ce qu'il était en train de se payer sa tête ? Non. Elle le vit se remettre sur ses pieds, et s'enfuir en courant en laissant son arme derrière lui. Il s'échappait et son pouvoir avec lui, ce pouvoir qui lui revenait, à elle. Elle tendit les bras. Elle devait l'arrêter, elle allait lui apprendre !

— Kara !

La voix s'était muée en un cri si puissant qu'elle sursauta.

— Regarde-moi, regarde ce que tu es en train de devenir !

Kara tourna la tête en tous sens et son attention se fixa finalement sur le chien affaibli, tête basse, la queue pendante.

— Kara, regarde-moi.

Le chien. La voix venait du chien — non, la voix était dans sa tête, mais c'était le chien qui s'adressait à elle.

— Risk ? murmura-t-elle en baissant les bras.

— Kara…

Il était épuisé, elle l'entendait à sa voix, elle le ressentait.

— Qu'est-ce qui s'est passé ? demanda-t-elle.

— L'énergie, libère-la, Kara, c'est trop pour toi.

Le flux crépitant tournoyait autour d'elle, en elle et ses mains tremblaient malgré elle, avides.

— Ça va te détruire, ça va devenir une obsession.

Plus. Oui, elle en voulait plus.

Elle observa ses mains et rompit malgré elle le lien.

Un grognement retentit et en levant les yeux, elle vit Risk allongé nu dans la neige.

Bon sang, qu'avait-elle fait !

Elle courut vers lui, glissant, trébuchant, avant de se jeter dans la neige près de lui. Elle posa ses mains sur sa poitrine et perçut sa respiration et la rassurante chaleur de sa peau.

Il soupira et lui prit la joue au creux de sa main.

— Bleus, tes yeux sont toujours bleus.

Il lui prit la main, l'embrassa, et le paysage se mit à vaciller, à scintiller.

Son salon se matérialisa autour d'elle, voilé par des interférences, comme une télévision à la réception imparfaite. Il y eut un murmure très bas, le monde se stabilisa et elle se retrouva allongée sur la couverture devant le feu, couchée sur Risk. Elle posa la main sur le tapis, là où la braise avait fait un trou quelques heures plus tôt. Il était rugueux et cassant autour de la brûlure et le plancher qu'on apercevait au-dessous était froid.

— Risk?

Elle cilla, saisie d'un vertige causé par le pouvoir amassé et par cet étrange voyage. Il lui caressa le bras.

— Tout va bien, la rassura-t-il dans un murmure.

Elle acquiesça en s'asseyant.

— Qu'est-ce qui s'est passé? Comment nous sommes-nous retrouvés ici? Il y a eu l'homme, le chien, et puis toi? J'étais en train d'aspirer l'énergie et c'était agréable... trop... agréable.

— C'était dangereux, corrigea-t-il.

— Mais... elle hésita. Quelle question lui poser en premier? Par où commencer?

— Toi d'abord, dit-il. Raconte-moi ce que tu faisais à l'Antre et ce qui s'y est passé.

— Tu es sûr que tu vas bien? s'inquiéta-t-elle.

Il n'avait quasiment pas bougé depuis qu'ils étaient revenus.

— Un peu vidé, plaisanta-t-il. Il chassa une mèche folle du visage de Kara. Vas-y, je t'écoute.

Elle hésita. Il lui serra la main un peu plus fort et l'encouragea d'un hochement de tête.

— Quand tu es parti, je suis allée au bar, se lança-t-elle.

Il lui avait demandé d'attendre. Elle avait désobéi. Il fronça les sourcils.

— J'ai discuté avec le barman, poursuivit-elle, mais il n'était pas vraiment conciliant et il m'a paru... bizarre. Moins que tout ce qui s'est passé après, remarque...

Elle lui raconta comment elle l'avait suivi à travers une porte et s'était retrouvée à son point de départ.

— Alors j'ai réessayé et je me suis retrouvée dehors.

Une lueur d'intérêt s'alluma dans les yeux de Risk.

Elle poursuivit son récit, incapable de croire elle-même à ce qu'elle était en train de raconter.

— Et alors ce sale type m'a attaquée par-derrière. Il avait un couteau et cette arme bizarre qu'il appelait une lame foudre. Le chien est arrivé, je me suis mise à aspirer…

Elle s'interrompit brusquement.

— Le barman, est-ce qu'il t'a dit quelque chose de particulier ? demanda Risk en s'appuyant sur son coude.

— Il m'a dit de rentrer chez moi et il s'est mis à divaguer en me demandant de dire à mon cerbère que le « Gardien » avait fait passer le mot de me tenir à l'écart. Oh, et il a dit aussi que les sorcières têtues avaient tendance à disparaître dans le coin.

Kara parlait trop vite, elle s'en rendait compte. Elle s'interrompit et observa Risk un moment avant de continuer, plus lentement.

— Ce bar est lié à Kelly et à son amie, j'en ai la certitude, ajouta-t-elle avant de croiser les bras, soulagée d'avoir pu raconter son histoire.

— Il a prétendu être le Gardien ? demanda Risk en se mettant lentement à genoux, l'œil curieux.

— Ouais, l'Antre du Gardien. Le Gardien… j'imagine que c'est de ça qu'il parlait.

Son regard caressa le torse nu de Risk, ses avant-bras au duvet argenté, dans lequel le soleil venait jouer.

Perdu dans ses pensées, il laissa son bras reposer sur ses genoux. La nudité était quelque chose de tellement naturel pour lui ! Sa cuisse vint effleurer le bras de Kara, dissipant son inquiétude.

— Il faut que j'y aille, annonça-t-il.

— Attends, dit-elle en lui posant une main sur l'épaule, cherchant un prétexte pour le retenir.

Risk se retourna, attendant qu'elle poursuive.

— Et ce chien, dis-moi ? lança-t-elle, se raccrochant à la première idée qui lui passait par la tête, est-ce que tu crois qu'il s'agit du cerbère dont le barman parlait ? Tu as déjà entendu ce mot, toi ?

— Les cerbères étaient au service des dieux, qui les utilisaient pour traquer le mal, répondit-il avec circonspection. Et un jour les grandes chasses ont pris fin.

— Le mal ? Mais je ne suis pas mauvaise, moi ? se récria-t-elle, tout en repensant à la façon dont le pouvoir avait afflué en elle et comment cela l'avait affectée.

— Est-ce que je suis maléfique ? s'interrogea-t-elle dans un murmure.

— Non, dit-il d'un ton rassurant en chassant les mèches folles qui lui tombaient dans les yeux, tu n'es pas maléfique.

— Alors pourquoi...

— Les cerbères parcouraient le monde voilà des siècles, désormais, ils... se contentent de survivre.

— Et donc ? rétorqua Kara, complètement perdue.

— Et donc tu n'es pas maléfique, répéta-t-il en lui massant le cuir chevelu.

Elle posa sa main sur celle de Risk en fermant les yeux, tandis qu'il lui saisissait délicatement la nuque. Elle ramena la tête en arrière, abandonnée.

— Qu'est-ce que le garm a dit d'autre ? s'enquit-il.

— Le garm ? C'est quoi un garm ? demanda-t-elle en rouvrant les yeux.

— Le taulier du bar, expliqua-t-il en l'attirant contre lui, leurs lèvres se frôlant.

Elle passa une main sur le torse du cerbère, et sentit son cœur battre sous ses doigts lorsque leurs langues se rencontrèrent. Il sentait le mâle et la fumée. La magie, les cerbères et les petits hommes avec leurs lames magiques pouvaient aller au diable.

— Tu es belle et pure, aucune magie ne pourrait faire de toi une créature telle que Lusse, lui murmura-t-il à l'oreille.

Lusse, sa patronne. Elle n'appréciait pas qu'il parle de cette autre femme alors qu'ils partageaient un moment d'intimité.

Sans cesser de la serrer contre lui, il s'agenouilla, puis passa sa main brûlante sur les fesses de Kara avant de remonter sous son T-shirt, leurs lèvres seulement séparées de quelques millimètres. Elle se cambra et plaqua son pubis contre la cuisse de Risk.

Il murmura quelque chose sans cesser de l'embrasser, remonta sa main un peu plus haut et lui ôta son soutien-gorge avant de prendre son sein à pleine main. Il la déshabilla et plaqua aussitôt sa bouche sur le téton dressé, la faisant tressaillir d'extase.

L'univers se mit à vaciller et elle ouvrit les yeux en s'accrochant à ses épaules ; voilà que ça recommençait ! Elle pouvait de nouveau percevoir les lignes de puissance tourbillonner autour d'eux, en arcs mouvants violets et rouges qui se mêlaient en un brouillard rosé qui englobait toutes choses.

Elle soupira. Elle devait accepter ce que son esprit aurait repoussé avec véhémence quelques jours plus tôt. Ce pouvoir faisait partie d'elle-même désormais. Et puis sa puissance mêlée à celle de Risk formait un si beau paysage coloré !

Rouge, l'énergie de Risk était rouge. Le chien lui aussi était nimbé de rouge…

Un frisson lui courut le long de l'échine. Non, c'était impossible, Risk ne pouvait pas être…

Les mains de l'homme descendirent jusqu'à la fermeture Eclair du jean de Kara, qu'il abaissa dans un geste vif…

— Risk, pourquoi est-ce que le barman m'a dit ça au sujet des cerbères ?

Risk arrêta son geste, ses doigts posés sur le pubis de la jeune sorcière.

— A l'entendre, c'était comme si j'appartenais à ce *cerbère*, reprit-elle. Et puis il y a eu ce type qui m'a attaquée, je veux dire, il donnait vraiment l'impression de discuter avec le chien !

Songeuse, elle laissa un doigt courir sur le torse de Risk, espérant de toutes ses forces qu'il lui fournirait une explication rationnelle. L'air froid passa sur son téton humide de baisers et elle réprima un frisson. Pourquoi est-ce qu'il ne répondait rien ?

— Risk ?

Il avait la tête penchée, les yeux clos. Un malaise insidieux se glissa en elle.

— Kara, il faut qu'on parle, annonça-t-il soudain en lui tendant son T-shirt.

Elle le dévisagea en silence tandis que sa bouche formait un *non* muet.

Risk s'éloigna de Kara, il fallait qu'il mette de la distance entre eux pour pouvoir lui révéler la vérité.

La jeune femme saisit d'une main ferme le vêtement qu'il lui tendait, malgré son expression mortifiée. Elle était de taille à encaisser la nouvelle de sa nature de cerbère, il en avait la certitude. Elle comprendrait sa position d'esclave de Lusse. Lorsqu'elle apprendrait qu'il avait été envoyé par la sorcière blanche pour les ramener, elle et sa sœur — les condamnant à un sort pire que la mort — et qu'il était lié par ce serment, elle ne le rejetterait pas. Elle verrait qu'ensemble, ils avaient le pouvoir de défaire Lusse.

Mais comment le lui dire? L'approche frontale était sans doute la meilleure.

— Regarde-moi, ordonna-t-il.

Elle se tourna vers lui, sans grande conviction.

— Ne bouge pas, ajouta-t-il.

Dans un scintillement, il se transporta jusqu'à son chalet où il attrapa un jean ; ce n'était pas le moment de se montrer nu devant elle. Elle était trop excitante et il ne devait penser qu'à une chose : tout lui avouer, en la préservant.

Il regagna le salon en se répétant que tout irait bien. Kara n'avait pas bougé et elle fixait la pièce d'un œil vide.

— Qu'est-ce que tu es? lui demanda-t-elle sans ciller, je sais que tu n'es pas un sorcier, tu me l'as déjà dit.

— Non, je ne suis pas un sorcier, je suis un forandre.

Voilà, c'était un début. Il lui restait à avouer tout le reste. Il s'accroupit à quelques pas avant de poursuivre.

— Tu te souviens, quand je t'ai dit que je travaillais pour une sorcière?

Elle acquiesça faiblement.

— Eh bien, ce n'est pas tout. Mes parents m'ont vendu à elle lorsque j'avais neuf ans.

— Tes parents t'ont vendu ? Comment est-ce possible ? C'est légal, ça ? s'écria Kara, les yeux ronds. Je veux dire, il y a des pays qui autorisent ça ?

— C'est même plus que légal, répondit-il avec un petit rire. Dans le monde d'où je viens — et à cette époque en particulier — c'était considéré comme un honneur. Chaque famille rêvait que le destin de l'un de ses membres soit lié à celui d'un être de pouvoir. Un dieu, ou même, si l'enfant était prometteur, une sorcière. Lusse *est* la plus puissante des sorcières.

Il contempla Kara en repensant à la façon dont elle l'avait vidé de son énergie sur le parking avec une aisance que Lusse ne possédait pas.

— Elle l'était en tout cas, corrigea-t-il.

— Donc tu es lié à cette sorcière. Explique-moi ce que ça implique et ce qu'est un forandre.

Elle replia les jambes, comme pour mieux encaisser ses réponses. Des deux questions, Risk choisit la première.

— Ça veut dire que je ne peux pas lui échapper. Je lui appartiens. Si je tente d'ignorer ses ordres, elle peut m'affamer, faire de moi ce qu'elle veut sans que personne n'y puisse rien. Et si j'essaie de m'enfuir — il saisit la chaîne à son cou — elle me ramène auprès d'elle. Je suis à sa merci.

Il vit les sourcils de Kara remonter et sa bouche béer.

— Mais c'est atroce ! Et ça dure depuis combien de temps ?

— Cinq cents ans.

*
* *

Cinq cents ans? Kara cilla.

— Mais ça veut dire que tu es… immortel?

Cette fois, c'était trop pour elle. La magie, d'accord, les portes qui vous font revenir à votre point de départ, passons, mais que l'homme avec qui elle avait fait l'amour soit âgé de cinq cents ans! Non c'était impossible. Elle interrogea Risk du regard, attendant qu'il se rétracte.

— Je ne suis pas immortel, répondit-il.

Kara poussa un soupir de soulagement.

— Mais quasiment, ajouta-t-il.

— Quasiment comment? siffla-t-elle entre ses dents.

— On peut tuer un forandre, si l'on est un dieu ou un forandre soi-même.

— Et le vieillissement alors? demanda-t-elle sans être certaine que ses lèvres bougeaient.

— Mon père avait huit cents ans quand je suis parti, répliqua-t-il avec un haussement d'épaules, j'ignore s'il est toujours en vie.

— Il aurait donc treize cents ans?

— Peut-être, peut-être moins. Si ça se trouve il est même mort, hasarda-t-il la gorge sèche.

Kara sentit son cœur se serrer. Risk avait vécu cinq cents années d'esclavage, sa famille l'avait vendu et ses parents étaient sans doute morts. De son côté, elle avait eu la chance d'avoir les siens jusqu'à la fac, et ensuite il y avait eu Kelly.

— Comment as-tu fait pour tenir le coup? s'étonna-t-elle, prise d'une envie soudaine de le prendre dans ses bras et de le réconforter.

Elle résista à cette tentation. Quelque chose dans la posture de Risk la prévint que le pire restait à venir.

— Jusqu'ici je ne pensais pas avoir d'autre choix.

— Et les choses sont différentes maintenant?

— Je l'espère. Mais il faut que je te révèle autre chose.

Kara se mordit la lèvre.

— Tu m'as demandé pourquoi le cerbère en avait après toi. Eh bien, il avait été envoyé pour te traquer et pour te ramener auprès de la sorcière dont il est le jouet, afin qu'elle se repaisse de ton énergie.

— Il... est l'esclave d'une sorcière? Comme toi?

Les fragments de conversations et les morceaux d'indices s'assemblèrent dans l'esprit de la jeune femme.

— Non, souffla-t-elle, la main plaquée contre la bouche.

— Si, exactement comme moi, répondit-il.

Elle le fixait, interdite. Cet homme qui l'avait protégée, qui lui avait fait l'amour comme jamais, qui lui avait insufflé la force qui lui manquait... Cet homme était un monstre?

— Mais ce n'est pas possible, tu ne peux pas être... C'est un chien que j'ai vu et tu... tu es un homme!

— Je suis un forandre, un changeforme.

Elle bondit sur ses pieds et leva les mains devant elle, comme pour se protéger de la réalité.

— C'était toi le chien sur le parking? C'est toi qui m'as attaquée?

— Non, j'étais l'autre, celui qui t'a protégée.

Tout s'emmêlait dans sa tête.

— Mais tu étais tout de même là pour...?

— Pour te capturer et te ramener à Lusse, c'est vrai.

— Mais tu ne m'as jamais fait de mal, alors...

Elle ne termina pas sa phrase, devinant l'hideuse vérité dans le regard de Risk.

— Et Kelly? C'est pour ça que tu voulais la trouver elle aussi, n'est-ce pas?

— Les sorcières jumelles sont très rares, confirma-t-il, presque légendaires. Lusse vous veut toutes les deux, mais j'espérais... que vous pourriez m'aider à briser mes chaînes.

Kara le dévisagea comme s'il n'était qu'un étranger. Il n'avait jamais eu l'intention de l'aider, il voulait juste les utiliser, elle et Kelly pour son propre salut.

— Et une fois libre, qu'est-ce que tu feras de nous?

— Je l'ignore, avoua-t-il.

12

En fait, il le savait parfaitement. Et elle aussi. Elle n'avait rien dit et elle refusait encore de se l'avouer, mais elle savait.

Elle l'aimait.

Comment osait-il la regarder en face et lui affirmer qu'il l'ignorait ?

Risk l'avait trompée, mais elle s'était encore plus abusée elle-même. Sans doute la capacité qu'il avait à se changer en bête cauchemardesque n'était-elle pas la seule chose en lui qu'elle avait refusé de voir. Elle n'était qu'un instrument à ses yeux, un paquet de plus à livrer à Lusse.

Pouvait-elle seulement apporter le moindre crédit à son histoire ? Qu'est-ce qui lui prouvait que sa famille l'avait réellement vendu, qu'il était effectivement au service d'une sorcière ou qu'il pouvait se changer en chien ?

— Montre-moi, ordonna-t-elle, transforme-toi.

— Quoi ?

— Transforme-toi, je veux voir ce chien de mes yeux.

— Kara, objecta-t-il en s'avançant, levant une main dans un geste d'apaisement.

— Stop. Soit tu te transformes, soit tu sors d'ici. Je n'ai pas le temps de réfléchir à tout ça maintenant, je n'ai pas le temps de me faire du souci pour l'homme que...

Bref, tu te métamorphoses ou tu sors d'ici, répéta-t-elle d'une voix tremblante.

C'était la seule façon d'être sûre. Il fallait qu'elle en ait le cœur net.

Il l'observa, contempla son visage fermé et décidé, même si sa voix trahissait sa terreur.

Que se passerait-il s'il obéissait? L'accepterait-elle tel qu'il était ou s'enfuirait-elle en hurlant, incapable d'admettre qu'il était à moitié démon?

Sa meilleure amie avait été tuée par un chien ordinaire, et elle portait encore en elle les cicatrices de ce drame. Comment pourrait-elle l'accepter dans sa vie après l'avoir vu sous sa forme canine?

Il laissa retomber ses bras. Quelle importance, tout ça? De toute façon il était incapable d'accéder à sa requête. Même soutenir son regard serait un calvaire. Il n'y lirait que terreur et révulsion, et c'était trop lui demander après y avoir vu tant de compassion.

Lusse avait raison. Il suffisait d'une petite relation humaine et il devenait faible, en proie à un tourment dont il ignorait jusque-là l'existence.

— Je ne peux pas, soupira-t-il.

Le soulagement, le doute, la colère et finalement une résolution de fer se succédèrent sur le visage de Kara.

— Alors va-t'en, lui demanda-t-elle en désignant la porte.

Risk n'hésita qu'un instant avant de franchir le seuil. Il n'était pas en état de se déplacer en utilisant la magie. Même un tour aussi anodin ne ferait que mettre en relief les différences qui existaient entre eux et le fait qu'aux yeux de Kara, il n'était qu'un monstre.

***

La jeune femme regarda Risk s'éloigner. Pourquoi prenait-il la peine de monter dans sa voiture ? Elle l'avait déjà vu disparaître comme une nappe de brouillard et elle en avait elle-même fait l'expérience, semblait-il. Au moins ce talent expliquait comment elle avait voyagé du bar au chalet de Risk, puis jusqu'à sa maison.

Pourquoi était-il parti en Jeep ? Pourquoi se donner cette peine ? Elle referma les rideaux dans un geste agacé. Il devait avoir ses raisons, et elle se moquait de savoir lesquelles.

Elle revint s'asseoir sur le canapé, les bras croisés. Ce même canapé où elle et Risk avaient...

Non, ce n'était pas le moment de penser à ça.

Risk lui avait menti, à de nombreuses reprises et lui avait fait croire qu'il tenait à elle.

Bon, d'accord, ce n'était pas exactement les mots qu'il avait employés, mais... elle attrapa un coussin et lui envoya un coup de poing puissant.

Allez, ça suffit !

Risk était peut-être ce chien qu'elle avait vu, ou peut-être pas et elle n'était pas certaine de savoir qu'en penser. Elle détestait ces animaux depuis si longtemps, elle en avait une telle terreur... Penser que l'homme avec qui elle avait fait l'amour était... elle éclata de rire.

Bon Dieu ! Tout cela n'avait aucun sens. L'idée même qu'elle puisse envisager une relation avec une telle créature... c'était tout simplement impensable.

Mais c'est tout de même Risk, lui souffla une petite voix. Elle tassa le coussin pour en faire une boule et s'y enfouit le visage.

Pourquoi maintenant ? Pourquoi lui révéler ça alors

qu'elle avait enfin une piste solide et que les choses semblaient vouloir s'arranger? Il n'aurait pas pu lui mentir encore un petit peu?

Elle se releva brusquement. Etait-ce là sa seule ambition, vivre dans le mensonge? Ça devenait vraiment pathétique.

Elle se leva et jeta le coussin au sol.

Bon, O.K. Risk ne l'aimait pas et elle avait bien failli se ridiculiser, les mettant en danger, elle et sa sœur. Failli, seulement failli, parce qu'elle l'avait fait partir.

Elle était de nouveau seule — elle commençait à s'y habituer — mais elle avait conscience de ses pouvoirs et elle savait que tout tournait autour de ce bar.

Elle pouvait se débrouiller seule, elle n'avait pas besoin de lui.

Sans doute pas, murmura la voix, *mais tu as* envie *de lui.*

Risk conduisit aussi vite que la Jeep le lui permettait, faisant vibrer les portières et la carrosserie comme si le véhicule allait se disloquer à tout moment. Kara lui avait demandé de partir, aussi était-il parti, mais il ne pouvait pas la laisser tranquille.

Lusse ne le lui permettrait pas. Et puis il ne pouvait se résoudre à l'abandonner. Elle ne voulait plus entendre parler de lui, soit, mais il devait s'assurer de sa sécurité.

Peut-être que s'il refusait de livrer les jumelles à la sorcière, Lusse le tuerait. Ça ne résoudrait rien, bien sûr, elle se contenterait d'envoyer un autre cerbère après elles, Venge, sans doute.

Ses doigts se crispèrent malgré lui sur le volant.

Il y avait forcément une issue à cette situation. Kara

n'acceptait pas ce qu'il était, mais il devait exister un moyen de la sauver de Lusse et du chasseur de sorcières ; malgré elle.

La Jeep souleva un nuage de graviers et de poussière en s'engageant sur le sentier menant au portail et à son repaire.

Il en avait découvert l'accès des siècles auparavant. Le monde était truffé de portails et la plupart étaient comme celui-ci, de simples passages menant à une minuscule poche de réalité alternative.

Personne ne prenait la peine de veiller sur ce type de portails, sinon ceux qui décidaient de vivre de l'autre côté. Le passage que lui avait décrit Lusse en revanche — celui qui était supposé être protégé par un garm — c'était autre chose.

Soit il menait vers plusieurs univers, soit il s'ouvrait sur un monde unique, contrôlé par un être puissant, celui qui devait être en train de traquer Kara.

D'un coup de taxi, Kara se retrouva de nouveau devant l'Antre du Gardien après avoir renvoyé son chauffeur.

Cette fois, elle était décidée à ne pas ressortir sans savoir qui détenait Kelly. Elle s'engagea sous l'enseigne branlante et entra d'un pas assuré. Pas de prisonniers, pas de quartier, c'était sa nouvelle devise — du moins pour ce soir.

Le bar était de nouveau grouillant de vie. Chaque table était occupée, les verres bien remplis et il ne restait que deux tabourets libres au comptoir, derrière lequel se tenait le même tenancier peu affable.

Kara laissa passer une serveuse et son plateau et vint occuper un tabouret vide.

— Un whisky et des renseignements, annonça-t-elle en posant un billet sur le zinc.

Le barman saisit le billet et en fit une boule qu'il lança à Kara.

— Rentrez chez vous.

Il saisit une bouteille sous le bar et servit le client assis près d'elle.

Kara entreprit d'ôter son gant, un doigt après l'autre.

— Je ne partirai pas. Je sais que vous êtes au courant.

— Vraiment ? répondit-il en rendant la monnaie à un client avec un haussement d'épaules.

— Et je sais que cette porte là-bas n'est pas ordinaire, reprit-elle.

— Tiens donc ? commenta-t-il en vidant un cendrier.

Kara se pinça les lèvres. Non, elle ne le laisserait pas faire, pas cette fois. Comment Risk l'avait-il appelé déjà ?

— Garm, murmura-t-elle.

— Pardon ? demanda-t-il en jetant quelques mégots.

— Garm, vous êtes un garm, répéta-t-elle, le sourire aux lèvres.

Elle avait réussi à le surprendre ce coup-ci.

Il la dévisagea durant de longues secondes, assez pour qu'elle se sente mal à l'aise. Pourtant elle soutint son regard.

— Vous ne savez rien du tout, conclut-il finalement en se remettant à vider les cendriers.

Kara expira, laissa tomber ses épaules. Il *fallait* qu'il lui réponde. Elle se concentra sur le billet froissé et un plan germa dans son esprit.

Le barman se retourna en soupirant. Il revint vers elle en prenant au passage une bouteille de whisky et un verre.

— C'est pour votre bien que je dis ça, chuchota-t-il en la servant. Rares sont ceux qui passent cette porte et qui reviennent pour le raconter. Surtout pas des sorcières.

Elle ne répondit rien, mais continua de le dévisager.

— J'ai bien essayé de prévenir l'autre, soupira-t-il, mais elle… elle était pire que vous, s'écria-t-il presque en faisant en sorte que les brutes malfaisantes — issues des trois mondes — qui peuplaient son établissement, l'entendent clairement.

— Et ça a servi à quoi ? A rien, continua-t-il en caressant le goulot de la bouteille de whisky. Le point positif, c'est qu'elle n'est pas ressortie, ça peut vouloir dire qu'elle est encore en vie, mais dans quel état ? Il ne se passe rien de bon là-bas, aussi sûrement que la boussole indique le nord, affirma-t-il en remisant la bouteille sous le comptoir. De toute façon, une fois la taxe acquittée, moi je ne peux plus rien faire.

Un nouveau client s'approcha pour commander. Le barman grogna quelque chose et reprit la bouteille de whisky.

— Attendez, l'arrêta Kara.

Il venait de parler de Kelly, elle en était persuadée. Quelqu'un s'était enfin décidé à la mettre sur une piste, elle n'allait pas laisser filer cette occasion.

Le barman s'arrêta

— Vous avez parlé d'une taxe. Elle est de combien ?

Elle n'avait pas grand-chose sur elle, mais Kelly et elle étaient propriétaires de la petite maison qu'elles occupaient, elles devaient pouvoir en tirer une somme rondelette.

Il éclata d'un rire qui signifiait clairement : *non mais tu veux rire* ?

— Pour vous, ce ne sera pas cher. Les sorcières ne paient pas la taxe.

Le client impatient saisit un verre et le claqua bruyamment contre le zinc. Le barman lui lança un regard assassin qui fit aussitôt fuir l'importun hors du bar. Le garm marmonna de nouveau en s'éloignant.

Une nouvelle fois, Kara le retint en lui attrapant le bras par-dessus le comptoir.

— Attendez. Vous avez dit que les sorcières ne payaient pas la taxe. Je suis une sorcière, je peux le prouver, affirma-t-elle en lui lâchant le bras.

— Vous êtes aussi inconsciente que l'autre, ma parole, s'écria-t-il à voix basse en lui saisissant les deux poignets d'une seule main. Avez-vous la moindre idée de qui sont les gens qui traînent ici ?

Kara balaya l'endroit du regard. Il y avait là des hommes et des femmes ordinaires, semblables à l'individu qui l'avait attaquée un peu plus tôt : éteints, gris, et dont les vêtements semblaient surgis d'une photo sépia.

— Ils sont désespérés, expliqua-t-il en lui attrapant la main et en la serrant à lui fendre les os. Peu importe qu'ils soient forandres, nains ou géants, que ce soit des dieux ou des démons. S'ils sont ici, c'est par désespoir et ça ne les rend que plus redoutables.

Kara considéra ses mains menues prisonnières de celles, gigantesques, du barman. Elle paraissait si fragile face à lui ! Mais elle ne l'était pas.

— Moi aussi je suis désespérée, d'accord, rétorqua-t-elle, et d'après ce qu'on m'a dit, je suis l'une des plus puissantes de mon espèce.

Une femme assise non loin d'eux se déplaça légèrement, s'éloignant de la source de tension croissante.

Kara attendit de voir si son coup de bluff fonctionnait, le cœur battant. Mais bluffait-elle réellement ? Elle n'avait aucune idée précise de ses capacités, après tout.

Le barman la lâcha avec un froncement de sourcils.

— Mon boulot, c'est pas de vous sauver. Vous voulez savoir pourquoi les sorcières ne paient pas la taxe ? C'est parce qu'*elles* sont la taxe. Vous voulez rejoindre l'autre tête brûlée de sorcière ? Il suffit d'aller dire à n'importe lequel de mes clients ce que vous êtes et il se fera une joie de vous coller une lame sous la gorge et de vous y escorter.

Il se tut brusquement, lui servit un verre, avant de reposer bruyamment la bouteille.

— Seulement si vous le faites, continua-t-il, je préfère que ce soit dehors. Je n'ai aucune envie qu'une bagarre éclate ici ce soir.

Il poussa le verre dans sa direction.

— Oh, et n'espérez pas revenir, ajouta-t-il avant de s'éloigner, je vous l'ai dit, c'est un aller simple, en particulier pour les sorcières.

Kara lança des regards à la dérobée autour d'elle. Est-ce que vraiment l'une de ces épaves était un dieu ? Elle prit son verre et fit tournoyer le liquide ambré. *Tu ne crois pas en Dieu, avec ou sans x*, se souvint-elle. *Du moins tu n'y croyais pas jusqu'à maintenant.*

Elle commençait d'ailleurs à avoir du mal à se souvenir de ses anciennes certitudes.

— Je vais t'aider, lui glissa un souffle glacé à l'oreille.

— Non, laisse-moi faire, renchérit une autre voix.

Kara fit volte-face, mais il n'y avait personne. En fait

le bar était entièrement vide à l'exception du barman qui lui adressa un sourire désolé.

— Je vous avais prévenue.

— Où sont-ils tous passés ?

— Ils attendent dehors, expliqua-t-il en lui désignant la porte. Ils savent que je ne tolère pas de grabuge dans mon établissement, alors ils patientent à l'extérieur.

Kara plaça une chaise sous une fenêtre et après avoir essuyé le verre sale, jeta un œil dehors. Il n'y avait là dans la pénombre qu'un type avec une casquette de base-ball et une femme vêtue de violet qui portait des tennis. A part ça, la rue était déserte, balayée par un petit tourbillon de neige occasionnel.

— La plupart vous demeureront invisibles s'ils ne souhaitent pas être vus. Chacun est différent, mais le désespoir les lie et s'ils vous tombent dessus, à trois ou quatre, quand vous les apercevrez, il sera trop tard.

— La bonne nouvelle, reprit-il après avoir vidé un cendrier, c'est que la taxe impose que vous arriviez de l'autre côté en vie, sans quoi vous n'avez aucune valeur.

Kara descendit de la chaise, prise d'un tremblement soudain.

— Bien sûr, ils ne sont pas très malins et il se peut que l'un d'eux oublie ce petit détail, précisa-t-il.

Kara s'appuya au dossier de la chaise, se pencha en avant et prit une grande inspiration. Il tentait de l'effrayer, rien de plus.

Elle jeta un regard circulaire. Il fallait se rendre à l'évidence, elle n'avait guère le choix.

Risk gara sa Jeep sous l'appentis derrière son chalet et se transporta à l'intérieur. Il attrapa un jean et des bottes en regrettant le temps perdu sur la route — malheureusement, son pouvoir ne lui permettait pas de déplacer des objets inanimés avec lui, surtout pas une masse aussi importante qu'une Jeep. Au moins lorsqu'il conduisait, il ne pensait pas à la traque. Il pensait seulement au visage horrifié de Kara, ce qui n'était guère mieux.

Il devait mettre un terme à ses faiblesses humaines. Sa meilleure chance de sauver Kara, c'était de ne voir en elle qu'une sorcière parmi tant d'autres, l'une de ses proies.

Une fois habillé, il posa ses mains contre la pierre brute de sa cheminée et se concentra. Il irait voir le garm et le forcerait à le laisser passer. Il retrouverait Kelly, puis il… Ce plan était mauvais, mais il n'en avait pas d'autre !

Il fissura la pierre d'un coup de son poing fermé. Un fragment se détacha, qu'il saisit au creux de sa paume, le serrant à s'en faire saigner.

Il y avait forcément une solution et il la trouverait. Pour l'heure, il ne devait penser qu'à la première étape : intimider le garm. Il se concentra sur les abords du bar et se prépara à y apparaître. Les premiers frissons se manifestaient lorsqu'il perçut l'appel du cor de Lusse.

Maudite sorcière, elle le ramenait à elle encore une fois.

13

Risk se matérialisa une nouvelle fois dans le boudoir de Lusse. La sorcière était installée dans son fauteuil violet et Bader se tenait près d'elle, son cor à la main. Sigurd était là, également.

Le cerbère lança à Risk un regard de défi.

— Lusse, salua Risk avec une pointe d'impatience.

— Risk? répondit-elle en arquant légèrement un sourcil.

Il inspira. Ce n'était pas le moment de la contrarier, pas alors qu'il était à deux doigts de retrouver Kelly.

— Je ne m'attendais pas à te revoir si tôt, dit-il en souriant.

— Est-ce que ça te pose un problème? demanda-t-elle en tapotant le bras de son fauteuil de ses ongles au verni blanc.

— Bien sûr que non, la rassura-t-il en s'avançant, j'allais rendre visite au garm.

— Tu l'as donc trouvé, nota-t-elle en se tournant vers l'autre cerbère. Sigurd suggérait que tu t'éloignais peut-être de ta mission. Il a entendu des… rumeurs.

Où donc avait-il été laisser traîner ses oreilles pour avoir vent des activités de Risk dans le monde des humains?

— J'ignorais que Sigurd était si proche de toi désormais.

— Ma foi il est toujours bon d'avoir un plan de secours, tu ne crois pas? lui demanda-t-elle les lèvres pincées. Venge étant... derrière les barreaux, il me fallait trouver autre chose; Sigurd s'est proposé.

L'intéressé croisa les bras sur la poitrine.

— C'est inutile, répondit Risk, j'irai interroger le garm dès que nous en aurons terminé ici.

— Et la sorcière?

— Elle est en sécurité. Je devrais rapidement retrouver sa sœur.

— Et que feras-tu quand tu l'auras retrouvée? demanda Sigurd en gonflant le torse.

— As-tu besoin d'autre chose avant que je me remette en chasse? demanda Risk à Lusse.

La sorcière considéra les deux mâles avec un sourire.

— Tu ne comptes pas répondre à Sigurd?

— Oh, il m'a posé une question?

Les doigts de Bader se crispèrent sur le cor.

— Pardonne-moi, tu disais? s'excusa Risk en se tournant vers Sigurd.

— Tu m'as parfaitement entendu, siffla le cerbère en serrant les dents. On raconte que la sorcière que tu as pour mission de ramener a un nouveau toutou; un cerbère.

— J'ai été avec elle, je ne m'en cache pas. Comment faire en sorte qu'elle me mène à sa sœur sinon?

— Mais peut-être qu'elle se sert de toi. Tu empestes l'humain.

— Je suis surpris de constater que tu sens encore quelque chose par-dessus la puanteur de ta jalousie.

Risk se tourna vers Lusse.

— Si tu n'y vois pas d'objection, je...

Dans un rugissement, Sigurd se changea en bête.

*
* *

Kara se figea.

— Et pourquoi ne pourrais-je pas payer la taxe moi-même ?

— Parce que c'est moi le gardien, expliqua le barman en essuyant un verre. Les lois sont fixées par ceux qui vivent de l'autre côté de ce passage. Moi je m'occupe des détails, et la règle numéro un est qu'une sorcière ne peut pas se vendre pour en franchir le seuil. Vous voulez vraiment passer de l'autre côté ? Dans ce cas, ayez le cran d'aller voir un de ceux-là, dehors, vous trouverez un terrain d'entente, j'en suis sûr.

Kara jeta un œil en direction du passage mystérieux. Où pouvait-il bien mener ?

— Est-ce que ça va… en enfer ?

— Non, rien de tel. Cela dit, à votre place ce n'est pas l'endroit en lui-même que je redouterais, mais l'être qui y vit, et son avidité à vous posséder.

— Est-ce que…

Le barman leva la main pour l'interrompre.

— On en a terminé avec les explications. A vous de faire votre choix.

Kara se dirigea vers la porte d'entrée et posa ses mains sur la peinture écaillée. Elle pouvait le faire, elle en était capable.

— Si vous voulez, je peux faire venir votre cerbère, il vous emmènera loin d'ici.

Appeler Risk ? Pas question. Elle ne se donna même pas la peine de lui demander comment il s'y prendrait et tourna la poignée.

La porte s'ouvrit d'elle-même et son agresseur encapuchonné trébucha à l'intérieur, son couteau glissant au sol.

— On est fermé, annonça le barman au nouvel arrivant.

— J'ai oublié un truc ici, se justifia l'homme en s'asseyant sur le sol. J'suis parti un peu vite, alors je reviens voir si…

Kara sortit de l'ombre et le type se figea sur place. Il recula en se protégeant de son bras, les yeux hagards.

— J't'ai pas fait d'mal, me lance pas ton cerbère aux fesses.

Le regard de Kara passa de l'homme au barman, puis elle s'accroupit et attrapa l'intrus par le pied tandis qu'il reculait.

— Je veux que tu me fasses traverser le passage, lui dit-elle.

— Non, répondit-il, sa mâchoire se décrochant, révélant des dents mal plantées et jaunies.

Le barman haussa les épaules et le sourire aux lèvres, saisit un autre verre.

— Tu ne perdras pas ton temps, crois-moi, insista-t-elle.

— Même un chaudron d'or ne me servirait à rien si j'ai ton cerbère aux trousses, se justifia-t-il en dégageant son pied et en se recroquevillant dans un coin, les yeux hagards.

— Que dirais-tu de deux chaudrons? J'ai vraiment de la valeur, tu sais.

— Deux? répéta le type en lançant un regard interrogatif au barman.

— Je ne m'occupe que de la taxe. Pas de la prime une fois la sorcière passée de l'autre côté, lança l'intéressé.

— Qu'est-ce qui te fait penser que tu as autant de

valeur, et que Jormun est prêt à payer pour toi ? demanda le type en s'approchant avec circonspection.

— Pas de noms, Narr, siffla le barman entre ses dents.

Narr lança un regard circulaire à l'établissement désert avant d'attraper Kara par le poignet.

— C'est quoi ton talent ?

La poigne de Narr lui mordait les chairs et il empestait la bière frelatée et la sueur, mais il constituait une alternative mille fois préférable aux dingues qui l'attendaient dehors.

— Je suis une jumelle, une sorcière jumelle. Et Jormun — elle lança un regard inquiet au barman — détient déjà ma sœur.

Du moins c'est ce qu'elle pensait et elle était prête à mettre sa vie en jeu sur cette certitude.

— Il a donc besoin de toi, plus que des autres, conclut-il, son souffle court trahissant son excitation, le regard avide. Ça mériterait bien un chaudron de plus, ajouta-t-il dans un murmure en resserrant sa capuche autour de son visage.

Il raffermit sa prise sur le bras de Kara et demanda d'un ton anxieux :

— Et le cerbère alors ? Je veux pas d'ennui avec lui, moi.

— Tu le vois quelque part ?

— Ça veut pas dire qu'il va pas rappliquer. Ces bêtes-là, ça tient à son territoire, ajouta-t-il à l'intention du barman.

Kara se passa la langue sur les lèvres en ignorant du mieux qu'elle pouvait la douleur dans son bras.

— S'il vient te voir, dis-lui que c'est moi qui t'ai demandé de le faire, dis-lui que c'était toi ou eux, là-dehors.

— Ouais, ouais, d'accord. Même moi ils m'ont à peine laissé passer. Il comprendra que j'ai fait ce qu'il fallait pour toi, pas vrai ?

Le barman acquiesça avec un grognement.

— Sans aucun doute, confirma Kara.

Pourvu qu'il me fasse traverser avant que Risk n'arrive…

Sigurd se tint face à Risk, les pattes bien plantées dans le sol, la tête basse, les babines retroussées.

Risk l'observa attentivement. L'humain face à l'animal, le combat n'était pas équitable, mais il ne ferait pas à Sigurd le plaisir de lui laisser penser qu'il représentait une menace à ses yeux en se transformant à son tour.

— Voilà pourquoi tu ne seras jamais le mâle dominant, Sigurd. Tout ça n'a rien à voir avec moi, ce n'est pas moi qu'il faut vaincre. Tu ne cesses de parler de mon excès d'humanité, mais tu en manques cruellement. La soif de sang t'aveugle et lorsque tu es sous ta forme animale, c'est encore pire. Je suis certain que tu ne comprends même pas ce que je suis en train de te dire.

Le chien noir se mit à décrire un cercle autour de Risk.

— Tu ne sais plus quoi penser, pas vrai ? Si tu me tues maintenant, tu n'y gagneras rien, les autres sauront que j'étais sous forme humaine, ils sauront que tu as été faible, que tu as eu besoin de te transformer pour oser me défier.

Le chien noir émit un grognement sourd.

Ça ne ressemblait pas à Sigurd. Il était jaloux de Risk, bien sûr, il le haïssait même, mais il n'était pas à ce point stupide et il ne l'aurait jamais attaqué sous les yeux de

Lusse sans y avoir été poussé. Ce n'était pas Sigurd le problème, mais Lusse, comme de coutume. Cette fois, il devait la défier elle, ouvertement.

— Qu'est-ce que tu cherches à faire ? demanda-t-il à la sorcière sans quitter le chien noir des yeux.

— Moi ? Mais tu le sais bien, soupira-t-elle en admirant ses ongles.

— Je te ramènerai tes sorcières, mais je ne peux rien faire si tu me retiens ici. Laisse-moi partir que je termine ma mission.

— Les sorcières... C'est vrai que je veux ces sorcières, admit-elle en passant un doigt pâle sur ses lèvres rouges, mais je veux surtout que mon mâle dominant me soit dévoué. Après les rumeurs qu'on m'a rapportées — elle lança un regard noir au chien qui se dandina, mal à l'aise — comment savoir si tu ne t'es pas laissé influencer ? Tu as reproché à Sigurd de perdre tout sens commun, aveuglé par la rage animale, mais nous savons tous que c'est faux. C'est l'humanité qui ne recèle que faiblesses, doutes, hésitations.

Elle se passa de nouveau un doigt sur les lèvres et lança brusquement :

— Et je vais le prouver sur-le-champ.

Elle ordonna à Sigurd d'attaquer et Risk vit la masse sombre s'élancer. Il bloqua la gueule effrayante d'un revers de l'avant-bras, l'empêchant de le mordre à la gorge. Les crocs de Sigurd s'enfoncèrent dans sa chair, perforèrent le muscle et ricochèrent sur l'os. Risk serra les dents sous le coup de la douleur et se tourna légèrement vers Lusse.

— Oh, s'exclama-t-elle, j'ai oublié de préciser que vous alliez combattre selon les règles des forandres. Chacun prend son apparence la plus faible. Ne viens-tu pas de dire que Sigurd se laissait affaiblir par la rage lorsqu'il était sous forme canine?

Maudite sorcière.

Narr jeta un nouveau regard circulaire sans lâcher le poignet de Kara.

— T'es pas en train de me jouer un tour, hein? lui demanda-t-il en la tirant à lui, tu vas pas essayer de t'enfuir, hein?

— Non, pas de coup fourré, lui assura-t-elle en résistant à la tentation de se détourner pour fuir son haleine pestilentielle.

— Bien, on y va alors, sourit-il en se relevant d'un bond avec une agilité surprenante. J'ai de quoi payer la taxe, garm, annonça-t-il en la tirant vers le bar.

Le barman les dévisagea tous deux un moment, une expression indéchiffrable sur le visage.

— J'ai de quoi payer, insista Narr, j'exige que tu me m'laisses passer.

— Tu exiges, Narr? répéta le barman.

Le petit homme tressaillit mais il tint bon.

— Joue pas au grand méchant loup avec moi, j'connais les règles. J'ai de quoi payer, tu dois m'laisser passer.

Avec un grognement désapprobateur, le barman releva un pan du zinc pour les rejoindre.

— Tu as malheureusement raison, mais ne compte pas sur mon aide quand son cerbère en aura après toi.

Narr jeta un regard nerveux à Kara.

— Ne t'inquiète pas, le rassura la sorcière, craignant que le barman ne finisse par effrayer le petit homme, ce n'est pas *mon* cerbère.

Le barman pouffa.

— Et s'il venait quand même, ajouta-t-elle en lui posant la main sur le bras, répète-lui ce que je t'ai dit.

— On est prêts, garm, lança Narr avec en hochant la tête.

Sigurd balança sa tête massive de gauche à droite, essayant d'arracher la chair du bras de Risk.

Une semaine plus tôt, il aurait pris Lusse au mot et il aurait sans doute laissé Sigurd lui ouvrir la gorge, mais les enjeux avaient changé depuis. Trop de vies dépendaient de lui, celles de personnes qui — il devait bien l'admettre — comptaient pour lui.

Sigurd serra plus fort, ses yeux rouges brillant d'une lueur démente. Il était en train de devenir fou. Si Risk avait la moindre hésitation, Sigurd basculerait totalement de l'autre côté. Le combat serait alors perdu et Kara et sa sœur condamnées.

Dans un murmure, il s'excusa d'employer un coup bas avant de planter ses doigts dans les yeux du chien noir.

La bête le lâcha en poussant un hurlement de douleur, du sang dégouttant de ses orbites meurtries. Risk savait que Lusse ne se contenterait pas de ça, elle voulait une victoire par K.O., peut-être même un combat à mort. Il s'avança donc et envoya son genou percuter la gueule de son adversaire, qui bascula en arrière.

Il n'attendit pas que Sigurd se relève et le plaqua au sol. Le gigantesque animal lutta pour se remettre sur ses pattes, mais Risk le saisit par la chaîne d'argent autour de son cou et donna un coup brusque.

La tête de Sigurd pivota sèchement, l'un de ses crocs

égratignant au passage la joue de Risk. Il serra plus fort, la sueur perlant à son front.

— Ne lutte pas Sigurd, pauvre animal lent d'esprit. Je ne suis pas ton ennemi. C'est Lusse ton adversaire et tu es en train de lui donner exactement ce qu'elle attend, murmura-t-il à l'oreille du chien.

Il ne sut pas s'il avait été entendu ou si sa prise avait eu raison de Sigurd, mais la bête cessa de se débattre et devint soudain immobile et flasque entre ses mains.

Lusse se leva et s'approcha des combattants.

— Bien... Voilà qui est fort décevant, n'est-ce pas?

— Tu as ta réponse, je suis toujours le plus fort.

— Très bien, admit-elle en croisant les bras, le bout de sa chaussure battant la mesure avec impatience, tu t'en tires pour cette fois, mais lorsque tu trouveras la seconde sorcière, je veux être avertie dans la seconde, sans quoi la serrure de la cage de Venge pourrait bien s'ouvrir comme par magie.

Elle souleva la patte inerte de Sigurd du bout du pied.

— Je suis certaine que même si Sigurd n'est pas remis à ce moment-là, d'autres seront très heureux de défier le jeunot, surtout si votre lien de parenté vient à se savoir.

Sans un mot, Risk tourna les talons et sortit de la pièce.

Le barman retourna prendre deux bracelets brillants derrière le bar en hochant la tête avec fatalité. Les anneaux ressemblaient aux menottes qu'utilisait la police, en plus brillants et avec un aspect plus redoutable.

— Qu'est-ce que c'est que ça ? demanda-t-elle en désignant les objets du menton.

— Ça fait partie des règles, expliqua-t-il en faisant signe à Narr de lui tendre la main de Kara.

Il lui posa un bracelet sur chaque poignet, sans manifester d'émotion apparente. Les deux anneaux se rejoignirent d'eux-mêmes avec un claquement, la menottant instantanément.

— Pourquoi est-ce que je dois porter ça ? demanda-t-elle en tentant de se libérer, je traverse de mon plein gré.

— Ça fait partie…

— … des règles, j'ai compris.

— C'est pour être sûr que vous n'attaquerez personne sitôt arrivée de l'autre côté.

Kara mima un oiseau prenant son envol. Oui, elle pouvait utiliser ses mains, et donc sa magie.

— Ne vous faites pas d'illusions, tempéra le barman, ce bracelet bloque aussi vos capacités, avec ça aux poignets, vous seriez incapable d'enflammer une bougie couverte d'essence.

Le découragement la gagna. Comment sauver Kelly sans ses pouvoirs ?

— On y va ? s'impatienta Narr en l'attrapant par le bras.

— Quand vous voulez, dit le barman, et vous, sorcière, toujours décidée à franchir le seuil ?

— Je suis prête, affirma-t-elle.

Avec ou sans pouvoirs, elle sauverait Kelly.

— Très bien.

Il passa derrière le bar, tapota sur le clavier de l'ordinateur avant de relever la tête.

— Ils vous attendent, annonça-t-il.

Narr s'avança, poussant Kara devant lui.

— Hé, sorcière ! lança le barman tandis que Narr faisait franchir le portail à Kara, gardez profil bas, ouvrez grand vos oreilles, et n'oubliez pas, dans l'autre monde il ne faut pas se fier aux apparences.

— Faut y aller, là, répéta Narr, ils vont finir par s'impatienter !

Kara acquiesça, prit une inspiration et s'enfonça dans les ténèbres.

14

Sitôt franchie la porte, un bruit d'eau la cerna. Il faisait sombre, chaud et humide, comme au cœur d'une forêt tropicale en pleine nuit. Seuls ses bracelets luminescents étaient visibles.

— Ils sont pas loin. Je les sens. Tu les sens aussi? murmura Narr à son oreille.

— Qui… qui sont-ils, répondit-elle, sans oser lui dire que sa puanteur couvrait tout le reste.

— Tu le sauras bien assez tôt. On approche, presse le pas, j'ai pas envie de rester trop longtemps dans le coin, lui confia-t-il en la saisissant par le bras.

Risk se matérialisa sur le parking de l'Antre. Des courants d'énergie presque palpable s'agitaient autour de lui et l'atmosphère était saturée de désespoir.

— Rentre chez toi, le clebs, chuchota une voix à son oreille.

Il pivota vivement pour saisir son interlocuteur, mais il n'attrapa que le vide et un rire résonna dans l'air glacé. Un peu plus loin, une femme vêtue d'une veste pourpre et de tennis compensées assorties écrasa sa cigarette. Elle murmura quelque chose, fit signe à un comparse invisible et s'éloigna.

— Qu'est-ce qui se passe ici? demanda Risk.

— Plus grand-chose maintenant que tu es là, répondit-elle par-dessus son épaule.

Un courant d'air froid vint l'enlacer et le palper. Un peu de givre se déposa sur ses yeux.

— Comment ça?

— C'est ma fille, répondit-elle avec un haussement d'épaule, elle est déçue que ton arrivée mette un terme à notre quête.

— De quelle quête s'agit-il?

— Nous sommes des chasseuses de primes, expliqua-t-elle en tirant une nouvelle cigarette de son paquet, et en ce moment, les sorcières, ça rapporte. Mais je ne t'apprends rien.

Risk scintilla et se matérialisa de nouveau à quelques centimètres de la femme pourpre. Il lui prit sa cigarette et la brisa en deux.

— Quelle sorcière? s'enquit-il, curieux de savoir à qui, ou à quoi il avait affaire.

— N'importe laquelle, la tienne, qui sait? ajouta-t-elle en faisant apparaître une nouvelle cigarette.

Risk tenta de la saisir, mais elle recula... disparut avant de reparaître un peu plus loin.

— Rien ne me force à te dire quoi que ce soit, cerbère. Nous savons tous qui tu es, nous t'avons tous vu fondre pour cette petite sorcière. Mais comme j'ai un faible pour les amoureux, je vais éclairer ta lanterne. Ta promise doit être loin à l'heure qu'il est. Ça fait un moment qu'elle est là-dedans avec Narr, et comme Kol ne les a pas flanqués à la porte, j'imagine qu'il les a laissés traverser.

— Vers où? demanda-t-il, le cœur glacé d'effroi.

Elle lui répondit non de l'index.

— Ça il va falloir poser la question à Kol, je ne me

risquerai pas à marcher sur ses plates-bandes. Bien, je vais y aller.

Elle s'éloigna sur le trottoir, suivie par une bourrasque surnaturelle, une queue fine émergeant sous le pan de sa veste.

Un troll.

La récompense devait être énorme pour que les trolls s'aventurent aux frontières de l'aube.

Au moins, il savait désormais qu'il se trouvait au bon endroit. Il y avait un garm là-dedans, et manifestement, il détenait Kara. Le cerbère ne prit pas la peine d'emprunter la porte et se transporta à l'intérieur.

Une lumière jaune apparut un peu plus loin et Kara agrippa la manche de Narr, la sueur lui coulant dans les yeux.

— Sssstop, siffla une voix.

— J'peux m'acquitter de la taxe! annonça Narr d'une voix tremblante en tirant Kara devant lui.

La jeune femme était aveuglée par la lumière, mais elle sentit quelque chose s'agiter devant son visage. Une langue?

— Elle ressssemble à l'autre, nota la voix.

Kelly, il parlait de Kelly, nota-t-elle mentalement en plissant les yeux pour apercevoir son interlocuteur. Sa vision s'ajusta et elle discerna quatre yeux jaunes qui ne cillaient pas, fendus de pupilles noires. Un début de panique la saisit. Que pouvaient être ces créatures?

— Elles sont jumelles, rétorqua Narr en la faisant sursauter.

Le petit homme prenait de l'assurance. Il devait sentir qu'elle flanchait et que lui serait bientôt loin. En entendant sa réponse, les créatures se lancèrent dans un conciliabule enthousiaste.

Kara observa son environnement afin de déterminer où elle se trouvait. Tournant le dos aux pupilles luminescentes, elle discerna du mouvement autour d'elle, des ondulations d'un vert fluorescent. Elle tendit la main avec appréhension.

— Tu peux pas les toucher, elles sont d'l'autre côté du tube, lui confia Narr à voix basse.

— Du tube ? Mais on est où ici ?

— Chez Jormun, répondit-il comme si cela expliquait tout.

— Qui ça ?

— Le garm a pas tort, cracha Narr, on s'demande c'que tu fous à traîner dans l'Antre si tu sais même pas qui est Jormun !

Kara ne répondit rien, attendant que le petit homme cède à la tentation d'étaler sa science, ce qui ne tarda pas.

— L'océan de Midgard. Voilà où t'es tombée. Et c'que tu vois, là-dehors, c'est des poissons.

L'océan de Midgard. Kara tenta de se rappeler ses cours de géographie, mais rien ne vint.

— On est au fond de l'océan ?

— Au fond, au milieu, qu'est-ce que j'en sais moi ? J'sais même pas si y'a un fond.

— Avançççcez, ordonna la voix.

Kara fit un pas en avant, timide, à tâtons.

— Non, pas toi. Lui.

— On y est, chuchota Narr. Moi je prends ma récompense, et après, salut !

Kara acquiesça en silence dans l'obscurité. Narr lui

lâcha le bras et elle l'entendit s'avancer vers les lumières, distinguant bientôt sa silhouette en ombre chinoise.

Il y eut des sifflements, des discussions, enfin Narr se tourna dans sa direction.

— Bonne chance, p'tite sorcière, lui glissa-t-il en rebroussant chemin.

Elle entendit le son de sa course décroître, puis le silence. Elle était seule avec des créatures inconnues.

Risk scruta la pénombre de l'Antre du Gardien, les poings et la mâchoire serrés. L'endroit était vide, mais le garm ne pouvait pas être loin. Il s'avança vers le bar, renversant un tabouret d'un coup de pied.

— Tu es toujours à ce point en retard, cerbère? demanda le barman en apparaissant dans l'embrasure de la porte qui flanquait le zinc.

Un garm. Son odeur de loup s'exprimait pleinement dans cette pièce vide.

— Où est-elle? demanda-t-il entre ses dents.

— Qui ça, elle? répondit le garm en prenant un verre sur l'égouttoir avant de le remplir d'alcool, sans quitter Risk des yeux.

L'odeur de whisky se mit à flotter dans l'air. Du whisky, la boisson préférée de Kara.

— Où est-ce que tu l'as envoyée? insista le cerbère.

Le garm éclata de rire et fit glisser le verre dans sa direction.

— *Je* ne l'ai envoyée nulle part, c'est elle qui a insisté.

Le verre stoppa quasiment sa course dans la main de Risk.

— J'ai dit *où*?

— Difficile question, à moins que tu ne paies la taxe. Tu as une autre sorcière en réserve, cerbère ? le provoqua le garm en croisant les bras sur la poitrine.

Risk se précipita sur le barman et empoigna son T-shirt.

— Laisse-moi la rejoindre, ordonna-t-il.

— Ce n'est pas en me frappant que tu la récupéreras, lui fit-il remarquer. Même si tu gagnais, tu serais incapable d'ouvrir le portail. Maintenant ôte ta main ou je te bannis de mon bar.

Risk hésita, tenté de céder à la tentation de lui fracasser le crâne sur le miroir derrière lui.

— Ah, les cerbères… l'élevage vous affaiblit.

Le cœur de Risk accéléra, propulsant un sang bouillonnant le long de ses veines. Sa poigne se raffermit.

Il fallait qu'il tue, peu lui importaient les conséquences.

— A toi de voir, cerbère. Tu cèdes à la rage ou tu raisonnes ? Je commence à perdre patience.

Rage. Sigurd… Risk inspira profondément. Etait-il aussi faible que le mâle qu'il avait laissé agonisant sur le tapis de Lusse ? Il songea immédiatement à Kara. Comment le verrait-elle ? Comme une bête effrayante et repoussante.

Il relâcha le garm à contrecœur.

— Ça c'est un bon chien, railla le barman.

— Arrange-toi pour que je la rejoigne.

— Non, pas moyen, il faut payer la taxe, s'entêta le barman en s'adossant au comptoir.

Risk commençait à perdre patience. Sigurd n'avait peut-être pas tort, finalement, la rage avait de bons côtés. Est-ce que vraiment le garm était seul capable d'ouvrir le portail ? Risk repensa au cercle de protection de Kara, tout en lorgnant vers le passage enténébré, sous le regard las du barman.

Un tintement électronique résonna sous le bar et le garm jeta un œil à son ordinateur. Risk en profita. Il inspira l'air chargé d'odeurs de tabac froid, se matérialisa à proximité de la porte d'entrée et s'élança vers le portail dimensionnel. Le garm leva les yeux vers lui au moment où une force invisible le freinait dans sa course, le renvoyant en arrière comme un trampoline invisible. Risk vint douloureusement percuter le mur de brique derrière lui.

Il se matérialisa à quatre pattes près du bar et poussa un juron.

— Joli, commenta le garm, mais la prochaine fois évite la téléportation, c'est inutile.

Risk montra les dents en grognant. Le barman l'ignora et s'approcha du seuil. Une fraction de seconde plus tard, apparaissait le petit homme à la lame foudre, un parchemin à la main.

— Déjà de retour, s'étonna le garm, un rien moqueur.

— J'tenais pas à c'qu'ils m'invitent à prendre le thé, rétorqua le petit homme, les doigts crispés sur le parchemin.

— Est-ce que tu as obtenu ce que tu espérais ?

— Ouais. Elle mentait pas. Ils ont vu qu'elle ressemblait à l'autre et j'ai même pas eu besoin de marchander.

C'est à cet instant qu'il vit Risk et que toute couleur quitta son visage.

— Où est-elle, articula le cerbère dans un murmure à peine audible.

— O.K., on s'calme, tempéra l'homme qui venait de troquer Kara contre un morceau de papier en reculant d'un pas. Elle m'a dit que t'étais pas son… enfin elle m'a dit de te dire que c'était elle qui avait insisté pour que j'l'emmène là-bas, d'accord ? Elle m'a quasiment menacé. Kol peut te le confirmer. Pas vrai, Kol ?

Le barman ne répondit rien, affichant toujours le même sourire amusé. Risk s'avança et le petit homme fourra son parchemin sous son sweat-shirt.

— Tu voudrais pas qu'on se mette à raconter partout qu'il ne fait pas bon faire des affaires chez toi, hein, Kol ?

— Je m'en moque un peu, avoua le garm avec un haussement d'épaules.

Risk eut un sourire satisfait et tenta d'attraper le petit homme qui sauta comme un chat sur le comptoir. Risk l'agrippa par la capuche et le projeta au sol.

— Dis-moi qui la retient prisonnière et comment la rejoindre, gronda-t-il à l'oreille de Narr.

— Demande au garm, suggéra-t-il, comme si c'était une évidence.

— C'est à toi que j'ai posé la question, insista le cerbère en étranglant le petit homme avec sa capuche.

Devant son mutisme, Risk le saisit à la gorge. Il avait besoin du garm, certes, mais pas de ce parasite.

— Comment se passe la négociation ? s'enquit Kol.

— Tu sais ce que c'est, on attrape les mouches avec du miel. Dans le cas de Narr, ce serait plutôt en lui fauchant son pot, répondit Risk en scrutant le papier qui dépassait de la poche intérieure de la veste à capuche.

Narr déglutit, les yeux injectés de sang, les lèvres bleues. Risk lui arracha son vêtement et l'envoya rouler au sol avant de fouiller dans la poche.

— Arrête, protesta faiblement le petit homme.

— Dis-moi qui la retient prisonnière et comment la rejoindre, s'entêta Risk en saisissant le parchemin.

— Tu dois payer la taxe, toussota Narr en se tenant la gorge. Une sorcière, tu dois offrir une sorcière, expliqua-t-il devant l'impatience manifeste du cerbère. Le garm te laissera passer si tu en as une, c'est la règle.

Le barman confirma d'un hochement de tête.

— Qui achète ces sorcières et dans quel but ?

Le regard de Narr fit la navette entre le parchemin que tenaient Risk et le barman.

— C'est Jormun, murmura-t-il. J'ignore dans quel but, mais il en amasse des caisses. Les chasseurs de prime des quatre coins des neuf mondes sont sur les dents. Ça va commencer à être une denrée rare.

Jormun... Qu'est-ce que le fils honni de Loki mijotait ?

— Garm, interpella Risk, est-ce qu'il dit vrai ?

— Il est vénal et lent d'esprit, mais ce n'est pas un menteur.

Risk jeta son parchemin à Narr et disparut dans un scintillement.

Risk contemplait la forêt, juché sur un rocher non loin de son chalet. L'air frais était chargé de l'odeur des pins.

Il devait rendre visite à Lusse, c'était l'unique moyen de sauver Kara et sa sœur ; il lui fallait une sorcière pour pénétrer sur le territoire de Jormun. Quelques semaines auparavant, il aurait traqué n'importe quelle sorcière et l'aurait jetée en pâture au gardien du portail, mais il avait changé et il n'était plus prêt à sacrifier une vie innocente, même pour sauver Kara.

Un corbeau se posa sur une branche, le soleil jouant

dans ses plumes bleu nuit. Oui, les choses avaient changé et il devait aller de l'avant quoi qu'il lui en coûte. Il avait longtemps supporté l'esclavage, et puis il y avait eu Kara, dont il ne pouvait plus se passer désormais.

Le corbeau pointa son bec vers le ciel et poussa son cri rauque.

— Risk? s'étonna Lusse, une boîte de chocolats à la main.

— Je sais où sont les jumelles, annonça le cerbère, se félicitant intérieurement de l'avoir prise par surprise.

— Ah! excellent, s'exclama-t-elle.

Elle s'assit dans son fauteuil et, prenant un bout de chocolat, fit mine de s'interroger.

— T'avais-je dit de revenir me voir avant de me les ramener? Non, il ne me semble pas… C'est donc que tu te fais du souci pour le fiston.

— Absolument pas! rétorqua Risk en affectant la surprise.

Lusse considéra un moment les friandises avant de poursuivre.

— Tant mieux, parce que j'envisage de le vendre. En fait, l'acheteur devrait être ici d'une minute à l'autre.

Le cœur de Risk se serra. Si cette perspective la réjouissait autant, c'était forcément mauvais signe pour Venge.

— Je ne t'avais jamais vu te séparer d'un cerbère auparavant, fit-il remarquer en choisissant ses mots avec soin. Il est encore en bon état? Est-ce qu'il a encore de la valeur?

Elle haussa les épaules et avala un chocolat.

— Il est toujours dans sa cage et il a toujours mauvais

caractère. Disons qu'il commence à me lasser. Cela dit, c'est un caprice, si ça se trouve, je vais décider de le garder.

En clair, elle prendrait la décision qui déplairait le plus aux autres mâles.

La question de Venge pouvait attendre, il était en sécurité pour le moment, et tant que Lusse serait avec lui dans le royaume de Jormun, elle serait impuissante à régenter le sien.

— Je sais où est la sorcière, mais j'ai besoin de ton aide.

— Vraiment ? répondit Lusse avec un mélange de consternation et de fierté, explique-moi ça.

Risk lui raconta ce qu'il avait appris.

— Jormun ? répéta Lusse en faisant jouer sa langue à l'intérieur de sa joue, qu'est-ce qu'il a en tête ?

— Je me suis posé la même question, et je parie que beaucoup seraient prêts à payer pour cette information.

— Même des dieux, ajouta Lusse. Combien de sorcières dis-tu qu'il détient ?

— Je l'ignore, mais à ce rythme, la survie de *l'espèce* est menacée.

— Et nous ne pouvons pas nous le permettre. C'est tout de même *mon* gibier, pouffa Lusse. Et le portail, dis-moi, comment est-il protégé ?

— Je n'ai vu que le garm, répondit Risk en se demandant ce qu'elle avait derrière la tête.

— Mmm…

— Impossible de passer outre son autorité sans s'acquitter de la taxe. J'ai essayé. Il a le pouvoir de sceller le portail, de toute façon. S'il le faisait, je ne… nous ne retrouverions jamais ta sorcière.

— Je ferai office de monnaie d'échange, déclara Lusse.

— Ce ne sera qu'un rôle, la rassura Risk.

— Evidemment. Crois-tu qu'il avalera ça ? s'interrogea-t-elle, penses-tu qu'il te croira réellement capable de me tenir en laisse, moi ?

— Peu importe ce qu'il croit. J'ai cru comprendre que les garms étaient des créatures obéissantes. Des règles ont été fixées, il s'y tiendra.

— Possible, l'imagination n'est pas leur fort, c'est vrai, confirma-t-elle en faisant jaillir la ganache au cœur d'un chocolat éventré. Je commence à être trop casanière, il me semble. Je vis recluse ici depuis quoi… quatre cents ans ?

Elle avala le chocolat dégoulinant de sucre et conclut :

— Oui, ce petit voyage vers Midgard est une perspective tout à fait délicieuse. J'ai hâte de découvrir ce que Jormun mijote.

Elle se leva, le sourire aux lèvres, faisant tomber la boîte de chocolats sur le sol.

— Oui, un voyage. J'en profiterai pour ramener deux ou trois choses au passage.

Elle sortit de la pièce en éclatant d'un rire joyeux.

15

Kara entendit un bruit de pas et vit approcher de grandes lumières jaunes. Il y eut de nouveau ce frémissement, ce déplacement d'air devant son visage.

— Jormun sera satisssfait, siffla une nouvelle voix.

Des mains calleuses la saisirent et la tirèrent en avant. Les lumières jaunes pivotèrent, éclairant le chemin devant eux. Kara regarda droit devant elle, elle observerait ses geôliers bien assez tôt.

Ils étaient dans un grand tube transparent au sol plat, sorte de couloir sous-marin laissant deviner les profondeurs de tous côtés. La créature qui se trouvait sur sa droite pivota légèrement, ses yeux lumineux révélant des poissons hideux aux dents démesurées, de l'autre côté de la paroi. Un frisson parcourut Kara. Qui pouvait être ce Jormun qui avait choisi de vivre dans un endroit pareil?

Quelque chose effleura sa chevelure. Elle se mordit la lèvre. Non, il ne fallait pas qu'elle panique. Tout allait bien et elle retrouverait bientôt Kelly, les détails surnaturels pouvaient attendre.

Ils arrivèrent bientôt face à une paroi translucide qui bloquait le passage. Les créatures sifflèrent avec animation dans leur langage inconnu. L'être sur sa gauche la fit avancer et Kara discerna, à la faveur d'un mouvement des yeux lumineux, l'arrière du crâne de l'un de ses ravisseurs. Il était chauve et semblait parfaitement humain, quoique court sur pattes et efflanqué.

Elle poussa malgré elle un soupir de soulagement ; ça aurait pu être pire.

Celui qui était juste devant elle sortit un bâton de sa combinaison moulante noire et en frappa l'extrémité contre la paroi, à la manière d'un gong, à trois reprises. Il attendit et recommença son manège deux fois encore.

Il n'y eut pas de réponse audible, mais une vibration que Kara reconnut comme une manifestation d'énergie magique et qui lui paralysa momentanément le corps et l'esprit. Dans un reflux de puissance, la paroi disparut, Kara fut projetée en avant et tomba à genoux dans ce qui semblait être une section plus large du tube transparent. En levant les yeux elle distingua un ciel bleu au-dessus de sa tête. Des nuages cotonneux le traversaient doucement. Avait-elle franchi un nouveau portail ?

— Mettez-la debout ! tonna une voix tandis que les gardes la dépassaient.

On la saisit et elle se retrouva sur ses pieds. L'endroit tenait plus du château médiéval que du passage sous-marin, cette fois. Des tapis précieux couvraient le sol et les murs étaient couverts de tapisseries représentant des dragons en train de dévorer des chevaliers. Quant au plafond... il n'y en avait pas, rien que le ciel d'un bel après-midi d'été.

Saisie par un sentiment croissant d'irréalité, elle scruta la pièce à la recherche de son interlocuteur.

Au fond de la pièce, allongé sur une montagne de coussins, se trouvait un homme gigantesque.

— Qu'elle approche, ordonna-t-il.

On la saisit de nouveau par les épaules et elle fut conduite devant celui qui devait être Jormun. Il était entièrement glabre et portait une chemise largement ouverte.

— Là, c'est assez près, décida-t-il en levant une main dont chaque doigt portait une bague.

Il étudia la nouvelle venue puis saisit une créature vivante dans une jatte.

— Faites-moi votre rapport, demanda-t-il en avalant tout rond l'animal gigotant.

Kara sentit son estomac se révulser. Elle respira en fermant les yeux, mais la touffeur ambiante ne l'aidait pas. Lorsqu'elle les rouvrit, l'un des gardes s'était avancé et faisait son rapport, agenouillé devant le géant. Tous discutèrent un moment en se tournant régulièrement vers elle.

Ses ravisseurs n'étaient pas humains, constata-t-elle la gorge soudain sèche. C'était des… serpents… humanoïdes.

Ils avaient deux grands yeux jaunes brillants et leur langue bifide s'agitait lorsqu'ils parlaient. Ils avaient une peau d'un blanc laiteux qui tirait sur le vert et leurs corps longilignes étaient pourvus de membres nettement trop courts. Ils ressemblaient à des parodies d'humains, résidus d'expérimentations désastreuses.

Le garde dans son dos lui donna une bourrade et elle avança vers Jormun en réprimant un haut-le-cœur.

— Des jumelles, dit Jormun avec intérêt, accompagné par les sifflements satisfaits des hommes serpents.

Il fit signe à Kara de s'approcher.

— Bien, bien, dit-il d'un ton satisfait. Décris-moi donc tes pouvoirs.

Elle chassa la sueur qui lui tombait dans les yeux et observa le géant aux membres épais.

— Qu'elle s'approche, ordonna-t-il aux hommes serpents.

Les gardes la frappèrent derrière les genoux et elle bascula au sol, ses mains heurtant le sol de pierre.

— Fascinant ! s'exclama Jormun dans un murmure en lui saisissant le menton de son doigt gigantesque. Elle est parfaite. Amenez-la auprès de sa sœur.

Le cœur de Kara fit un bon. Kelly ! Elle avait réussi, elle l'avait retrouvée ! Les hommes serpents s'avancèrent, prêts à la saisir, mais elle se leva d'elle-même.

La première partie du plan était une réussite, maintenant il allait falloir sortir de là, songea-t-elle en chassant l'image de la sorcière calcinée à la morgue. Le temps jouait contre elles.

Risk arriva devant l'Antre du Gardien en compagnie de Lusse, occupée à enfiler ses gants blancs tandis que sa cape flottait au vent.

— Alors c'est ici ? Décidément, les garms n'ont vraiment aucun goût, déclara-t-elle en ouvrant la porte, Risk sur ses talons.

Kol était adossé au bar, comme de coutume. Il leva un sourcil surpris en les voyant entrer.

— Déjà de retour ?

Risk jeta un regard circulaire à l'établissement. Deux hommes étaient assis près de l'entrée, visiblement intéressés par ce qui se passait. Le cerbère montra les dents et ils replongèrent bien vite dans leur verre. Trois tables étaient occupées, mais ni le troll ni le voleur n'étaient là. Tant mieux, il n'était pas d'humeur à les supporter.

— J'ai de quoi payer la taxe, annonça Risk après s'être assuré que personne ne représentait une menace.

— Elle ? s'étonna le garm en désignant avec dédain Lusse qui se tenait au milieu de la pièce, tête haute, poings sur les hanches.

— Elle, confirma Risk.

— Très bien, concéda Kol avec un haussement d'épaules, qu'elle avance par ici.

Il approcha du seuil, deux bracelets à la main.

— C'est donc lui le garm ? soupira Lusse.

Elle jaugea le corps musclé de Kol et demanda :

— Tu es tout seul ici, garm ?

— Tu es prêt ? s'enquit Kol auprès de Risk, ignorant la question de Lusse.

Risk acquiesça, mais Lusse ne bougea pas d'un pouce.

— Quels sont tes pouvoirs ? demanda-t-elle encore.

— Tu es sûr que c'est elle ta monnaie d'échange ?

Risk posa prudemment la main sur l'épaule de Lusse, l'incitant à avancer. Elle le fusilla du regard, mais le laissa faire.

— Il faut qu'elle porte ça, indiqua Kol en lui tendant les bracelets.

— C'est une idée de Jormun ? s'esclaffa Lusse.

Le garm ignora sa remarque et s'apprêtait à les lui passer quand elle fit un pas en arrière et saisit son cor de chasse.

— Oui, c'est très joli, mais n'y pense même pas, chéri.

Avant que Kol ou Risk n'aient eu le temps de réagir, elle souffla dans l'instrument et l'air se mit à vibrer autour d'eux.

Le garm plongea derrière le bar et reparut, une barre à mine en argent à la main, au moment où cinq cerbères sous forme humaine se matérialisaient près de Lusse.

La sorcière leva la main et avec un sourire, projeta une rafale de pure énergie en direction du portail. Risk plongea au sol pour l'éviter, bousculant deux cerbères au passage. Le flux de puissance se heurta au mur invisible avec d'abominables crissements de métal, envoyant des brandons de pouvoirs aux quatre coins de la pièce. Les clients déguerpirent face à cette tempête magique.

L'air se mit de nouveau à vibrer et six autres cerbères se matérialisèrent. *Cinglée de sorcière, qu'est-ce qu'elle fiche, bon sang?* Elle était en train de gâcher l'unique chance qu'avait Risk de retrouver Kara.

Il serra les poings. Non, il refusait de la perdre. Il se leva et marcha droit vers Lusse. Sans se soucier des conséquences, il saisit la sorcière par les épaules.

— Stupide cerbère, lâcha-t-elle en se tournant vers lui.

Risk fut projeté contre le mur avant d'avoir eu le temps de se dématérialiser. La chaîne autour de son cou se resserra, lui coupant le souffle. Plus il luttait, plus la chaîne se resserrait.

— Qui de nous deux a gagné maintenant, hein, Risk?

Deux bottes noires se matérialisèrent dans son champ de vision. Risk roula au sol et vit Sigurd penché sur lui.

— Tu ne pourras pas l'enlever, tu le sais comme moi. Plus tu luttes, plus il t'étrangle. Ça ne te tuera pas, mais ça te paralysera le temps qu'il faut, et d'ici là, ta petite sorcière sera morte.

Risk hésita et relâcha légèrement sa prise. Sigurd avait raison, il était inutile de défier Lusse. Il devait laisser la logique prendre le pas sur son instinct. Pour Kara.

— A toi de voir, conclut Sigurd en lui donnant un coup de pied.

Lusse avait à présent les deux mains tendues et deux lignes d'énergies parallèles en jaillissaient, frappant le mur invisible. Elle avait les traits déformés par l'effort.

Le garm s'avança, sa barre de métal à la main.

— Saisissez-le ! ordonna la sorcière.

Mais Kol fut plus rapide et plongea son arme dans le flux qui s'y refléta comme dans un miroir, perforant brutalement le plafond. L'air froid pénétra dans la pièce.

Le garm ne tiendrait pas longtemps face à Lusse, et que se passerait-il alors, est-ce que le portail se fermerait ? Risk ne pouvait pas le permettre, mais il ne pouvait pas non plus défier Lusse. Une idée germa dans son esprit lorsqu'il vit Kol lutter contre le flot lumineux, il lui suffisait d'utiliser l'ego de la sorcière.

Il lâcha la chaîne et força son corps à accepter l'entrave. Au même instant, six cerbères bondirent sur le garm et le mirent à genoux. La barre tomba au sol avec un bruit métallique, libérant l'énergie qui vint de nouveau frapper le portail. Kol parvint à reprendre son arme, frappa son adversaire le plus proche, mais un autre prit aussitôt sa place. On lui saisit les poignets. S'ils parvenaient à l'immobiliser, le plan de Risk tombait à l'eau. Le cerbère ne pensa plus qu'à Kara, à sa douceur, et la chaîne se détendit tandis que la paix revenait en lui.

Il inspira profondément et s'intéressa de nouveau au combat. Le garm avait disparu sous la masse des cerbères, et seul Sigurd ne prenait pas part à l'hallali. Bientôt un hurlement bestial retentit sous l'amas.

Le garm était en train de se transformer. Risk n'avait plus le choix. Avec un cri rauque, il se métamorphosa à son tour.

La grande pièce médiévale fit de nouveau place à un tube transparent plus étroit. Kara se demanda si toute la demeure de Jormun était agencée ainsi, en une succession de renflements occasionnels. L'image d'un serpent géant digérant lentement des rats s'imposa à son esprit.

Elle devait s'échapper avec Kelly, songea-t-elle en revenant à des préoccupations plus prosaïques, et ses mains étaient toujours liées. Où pouvait être sa sœur? Y avait-il un espoir qu'elles parviennent à convaincre Jormun de leur rendre leurs pouvoirs? Même si elles y parvenaient, rien ne lui garantissait qu'elles réussiraient à franchir le portail.

La panique commençait à la gagner, fissurant l'armure d'optimisme qu'elle s'était forgée tant bien que mal. Si seulement Risk avait pu être là... Il ne l'aimait pas, d'accord, mais peut-être les aurait-il aidées à s'échapper? Et puis cette sorcière à qui il devait les livrer n'était peut-être pas si cruelle, après tout...

Ils pénétrèrent dans une section du tube un peu différente, flanquée de portes brillantes sur son côté droit. La paroi à cet endroit devenait opaque et à moins d'y coller son visage, il était impossible de distinguer l'extérieur. Ils dépassèrent les deux premières portes avant de s'arrêter face à la troisième.

Le cœur battant, Kara attendit que le garde frappe la porte de son bâton. La membrane s'effaça, et saisissant la jeune femme par le bras, le garde la poussa en avant. Elle eut à peine le temps d'apercevoir une pièce vivement éclairée, semblable au tube qu'elle quittait, avant d'atterrir douloureusement sur le sol. Elle avait le souffle coupé et sa hanche la faisait souffrir.

— Oh, mon Dieu, Kara. C'est vraiment toi? s'exclama sa sœur.

Elle était dans le plus simple appareil, en train de tordre une corde accrochée à une canalisation.

— Tu es toute nue, répondit Kara en réprimant un juron.

Kelly détacha la corde.

— Est-ce que ça va? s'enquit-elle avec inquiétude.

Kara se rendit compte alors que ce qu'elle avait pris pour une corde était en fait une combinaison, identique à celle que portaient les hommes serpents.

— Comment t'es-tu retrouvée ici? continua-t-elle. C'est le barman, c'est ça? Il t'a attiré dans son bouge en te promettant de te mener à moi?

Kara ne trouva rien à répondre.

— Il joue à celui qui veut rester neutre, continua Kelly, n'empêche qu'il est incontournable et que sans lui, rien ni personne ne peut franchir le seuil.

Elle se frappa la paume du poing et s'exclama :

— A mon retour, je réduirai son bar en cendres!

Kara s'assit et détailla la pièce du regard. Elles se trouvaient dans une capsule attenante au tube, cernée par le vaste océan. Elle se leva, posa ses mains en visière contre la paroi et aperçut une seconde capsule, accolée au tube, mais d'où aucune lumière ne filtrait.

— Qu'est-ce que tu fais? s'inquiéta Kelly. On dirait que tu t'es salement cogné la tête.

— Il y a quelqu'un d'autre dans la cellule voisine? demanda Kara.

— Plus maintenant. Les deux autres capsules étaient occupées, mais les prisonnières ont été emmenées et je ne les ai jamais revues, dit Kelly avant de conclure : il faut qu'on te fasse sortir de là.

— Il faut qu'*on* sorte de là, la corrigea Kara, songeant qu'elle n'avait même pas serré sa sœur dans ses bras.

— Ouais, nous, concéda Kelly d'un geste de la main. Ecoute, il faut qu'on parle. Je ne sais pas comment tu t'es retrouvée ici, mais tu dois être terrifiée et un peu perdue. Je sais que les apparences sont contre moi, mais j'ai réfléchi à un plan, et je crois que je peux nous tirer de ce guêpier.

Elle prit sa sœur dans ses bras et la serra très fort.

— Pour cela, j'ai besoin que tu gardes ton calme, d'accord ? L'endroit est plutôt effrayant, je te l'accorde, mais tu dois te fier à moi. Tu t'en sens capable ?

Kara croisa le regard inquiet de Kelly. Bon sang, est-ce qu'elle était peureuse à ce point avant que sa sœur ne disparaisse ?

— Je devrais y arriver, la rassura Kara d'un ton cassant en continuant à étudier la pièce.

Kelly s'apprêtait à ajouter quelque chose, mais la membrane menant au tube se mit à vibrer.

— Bon sang, ils sont de retour ! On n'a pas le temps de se mettre en position, dit-elle en tordant la combinaison et la brandissant comme une arme.

Kara la dévisagea. Ainsi, c'était là son plan ? Assommer un homme serpent avec sa combinaison et courir nue jusqu'au *palais* de Jormun ? Et puis quoi ? Avec un soupir, la jeune femme s'approcha de la porte. Qui ou quoi que ce soit, elle préférait l'affronter face à face. La membrane s'effaça et un homme reptile apparut, porteur d'une sorte d'outil qui ressemblait à un tournevis, ainsi que d'une combinaison moulante bien pliée.

Il entra dans la pièce sans quitter les deux femmes des yeux, puis, de son bras trop court, il fit signe à Kara d'approcher. Elle s'exécuta. Jusqu'ici son instinct ne l'avait pas *trop* trahie. La créature lui fit signe de tendre les bras, ce qu'elle fit. Il engagea l'outil entre les bracelets qui se détachèrent avec un petit bruit sourd. Kara les ramassa et les tendit à la créature qui acquiesça, visiblement satisfaite. Il posa la combinaison à ses pieds, puis regagna la sortie.

— Qu'est-ce que tu fabriques ? s'écria Kelly une fois la membrane refermée. Je sais que je t'ai demandé de garder ton sang-froid, mais ce n'est pas un jeu, c'est sérieux !

— Ils doivent vouloir que j'enfile ça, répondit Kara en soupirant. Tu me le déconseilles ?

— Non, admit Kelly en croisant les bras, ces trucs ont l'air de réguler la température.

Kara commença à se changer, sans faire de commentaire.

— Kara, ça m'ennuie vraiment que tu prennes tout ça à la légère, commença-t-elle.

— Tu dis ça parce que je ne me suis pas affolée ? demanda Kara d'un ton exaspéré, une jambe passée dans la combinaison. D'abord tu me demandes de rester calme et ensuite tu me sermonnes parce que je ne panique pas, il faudrait savoir !

Elle finit d'enfiler la combinaison qui s'ajusta parfaitement sur elle.

— Je... tu ne te rends pas compte, répliqua Kelly avec cet air de dire *je vais m'occuper de tout* que Kara connaissait si bien.

— Au contraire, je mesure mieux que toi ce qui se passe. Je suis une sorcière, tu es une sorcière, et il existe des créatures étranges qui hantent ce monde, des hommes dont on tombe amoureuse, puis qui se changent en animaux, d'autres qui vous collent une lame sur la gorge avant de vous faire franchir un passage mystérieux, des hommes serpents qui, à tout prendre, se montrent bien plus courtois que tous les autres réunis… Oui, je me rends compte, répéta Kara en fixant Kelly dans les yeux.

— Tu… tu sais que nous sommes des sorcières?

— Oui, et la nouvelle ne m'a pas scié les jambes, affirma Kara en lissant le tissu étrange qui se révéla être extrêmement confortable et qui fit baisser la température ambiante d'au moins dix degrés.

— Kara, quel est mon plat préféré? demanda soudain Kelly en posant la main sur le bras de sa sœur.

— Quoi?

— La cicatrice sur mon petit doigt, comment je me la suis faite?

— Tu deviens cinglée, ma parole!

— Réponds à ma question, insista Kelly.

— Tu mets du ketchup partout, soupira Kara, c'est ignoble. Et… c'est Tommy Sullivan en primaire qui t'a fait ça en te mordant. Tu as ensuite arraché la tête de son Transformer et tu l'as jetée dans les toilettes… à moins que ce ne soit pour ça qu'il ait décidé de te mordre, je ne sais plus.

— C'est bien toi, soupira Kelly en se mordant la lèvre.

Kara chercha une chaise du regard mais n'en trouva aucune. Après son voyage dimensionnel, cette conversation commençait à l'épuiser, elle avait besoin de s'asseoir, aussi s'installa-t-elle à même le sol, adossée à la paroi incurvée.

Kelly continuait de la dévisager, s'attendant vraisemblablement à ce qu'elle craque à chaque seconde, ce qui, si l'on considérait leur situation, n'avait rien de déraisonnable.

— Assieds-toi, l'invita Kara en tapotant le sol. Je vais bien, je t'assure, mais j'ai beaucoup appris récemment.

— Manifestement, oui, confirma Kelly en s'asseyant. On dirait deux personnes différentes, tu es si sûre de toi !

— C'est vrai ? s'étonna Kara, flattée d'entendre ça de la part de Kelly. Merci !

— Je t'en prie. Par où je commence ? ajouta Kelly après quelques secondes de silence passées à observer l'océan.

— Je n'en sais trop rien, répondit Kara, il y a tellement à dire…

Elle songea à Risk, à la façon dont ils s'étaient quittés. Elle aurait aimé se confier à Kelly et s'entendre dire qu'elle avait bien fait et que tout irait pour le mieux… un poisson lumineux passa près de leur bulle. Non, tout allait de travers, conclut-elle en posant sa tête contre la cloison. Elle se sentit brusquement épuisée, physiquement et moralement.

— Allez commence, toi, proposa Kara. Qu'est-ce que tu sais de cet endroit ?

Durant l'heure qui suivit, Kelly lui raconta tout. Sa pratique de la magie depuis la puberté, la découverte de ses pouvoirs le jour où le chien avait attaqué Kara et Jessie, puis les années d'apprentissage et de rencontres avec ses semblables.

— Nous sommes nombreux, il y a une vaste communauté sur internet, mais je n'ai rencontré que peu d'entre eux.

— Je…

Il fallait que Kara évoque la fille à la morgue.

— Et puis les sorcières ont commencé à disparaître, continua Kelly. Quelques-unes par-ci par-là, puis de plus en plus. On a fini par les signaler dans certains endroits précis de certaines villes.

— Le bar, supposa Kara.

— Oui, le bar. J'ai découvert ce bouge il y a quelques semaines, aidée par une amie. On a commencé à le surveiller et elle a disparu.

Un banc de poissons passa non loin et Kara serra les poings.

— Kelly..., commença-t-elle.

— Je me suis doutée que le bar était le lien. J'y suis allée, j'ai essayé de discuter avec le barman ; un crétin. Il a refusé de m'aider. A ce moment-là une nana habillée de violet m'a jeté un filet. T'imagines, un filet ! Je ne sais pas de quelle matière il était fait, mais ça m'a complètement affaiblie. Je me suis laissé faire, tout en me rendant compte de ce qui se passait. Le barman m'a collé deux bracelets aux poignets, Mme Pourpre m'a balancée à travers le portail et bim ! me voilà qui débarque dans ce monde bizarre. J'ai essayé de retrouver Linda, mais en vain, soupira-t-elle.

— Kelly, dit une nouvelle fois Kara, je crois que je sais...

Un déferlement de puissance parcourut le tube, faisant vibrer la paroi et leur coupant le souffle.

— Qu'est-ce qui se passe ? haleta Kara.

— C'est un monde bizarre, je maintiens, répondit Kelly.

Les lumières s'éteignirent soudain, les plongeant dans l'obscurité. Kara prit la main de sa sœur.

— Regarde bien, lui conseilla Kelly dans un souffle. Ils font ça chaque nuit, à supposer que j'aie toujours la notion du temps.

Un sifflement reptilien se fit entendre et la lumière revint, mais uniquement au-dessus de la porte. Kara constata que la paroi était à présent parfaitement translucide. Elle pouvait voir une foule d'hommes serpents amassée dans le tube, en train de pointer du doigt quelque chose à l'extérieur.

— Que font-ils ? demanda Kara d'une voix tremblante.

— Je n'en suis pas certaine, mais je crois qu'ils prient, répondit Kelly en serrant Kara contre elle.

— Et ils prient quoi, s'enquit-elle avec inquiétude.

— Ça. Regarde là-bas, dans l'eau.

Kara se retourna. Un gigantesque mur d'écailles vertes se dressait contre la paroi de leur capsule.

— Qu'est-ce que c'est ? murmura Kara.

— Je n'en suis pas certaine, mais je dirais que c'est leur mère, ou quelque chose d'approchant.

— C'est vivant ? s'étonna-t-elle en serrant sa sœur un peu plus fort.

— Oh oui. Regarde, ça bouge. Une nuit, j'ai même vu sa tête.

Effectivement, le mur d'écailles allait et venait contre la paroi.

— Alors c'est un serpent ?

— Leur ancêtre à tous.

Elles demeurèrent ainsi de longues minutes, au rythme du sifflement hypnotique des fidèles.

— Tu sais, murmura Kelly, je ne croyais pas avoir peur de quoi que ce soit.

— C'est marrant, moi j'étais persuadée que j'avais peur de tout.

16

Risk se dressa sur ses pattes, prêt au combat.

Un nouveau hurlement retentit et le garm revêtit sa forme de loup. Il avait le poil noir avec des lignes grises sur la tête. Il s'ébroua et sembla doubler de volume. D'un coup de reins, il se débarrassa des cerbères amassés sur son dos et il montra les dents afin de décourager les plus téméraires.

Risk devait agir vite. Si les autres se métamorphosaient à leur tour, cela tournerait à la guerre entre forandres.

— Garm, lui dit-il mentalement, profitant de ce pouvoir dont il bénéficiait uniquement sous forme animale.

Le garm ignora le message, à l'affût de nouveaux assaillants. Risk grogna et d'un bond se retrouva à quelques mètres de son interlocuteur. Le garm se tourna vers lui, la queue basse, les poils de l'échine dressés.

— Garm, répéta Risk.

— Rappelle-les, cerbère. Personne ne franchit le portail sans ma permission.

— Accorde-nous le passage, répondit Risk en calquant ses déplacements sur ceux de Kol.

— Tu crois vraiment que je vais accepter ? ricana le garm en désignant du menton Lusse, qui continuait de verser des torrents de puissance sur le portail. Cette idiote, elle n'arrivera à rien.

— Sans doute, mais c'est une idiote puissante. Si tu

ne cèdes pas, ton bar ressemblera bientôt à l'enfer en pire. Elle représente une belle taxe, non?

— Elle n'est pas sous ton contrôle, c'est contre les règles.

— Tes règles, ou celles de Jormun?

Le garm gronda.

— Si Jormun veut des sorcières, il voudra nécessairement Lusse, poursuivit Risk. Elle a vampirisé plus de ses consœurs durant son existence, qu'il n'y a d'étoiles dans le ciel.

— Voilà pourquoi tu t'es soumis à elle, railla Kol.

— Je ne me suis pas…, commença Risk.

Il était sur le territoire du garm, ce dernier ne pouvait donc pas être dominé. Pourtant l'un d'eux devrait s'y résoudre.

— Attaquez-le! hurla Lusse.

La sorcière commençait à se fatiguer et Risk sentait sa frustration. Les autres mâles qui attendaient que Risk en ait terminé commencèrent à s'agiter.

— Attendez! leur cria-t-il en se jetant sur le garm pour donner le change à la sorcière.

— Je ne peux pas vous vaincre tous, gronda Kol en reculant, mais je peux sceller le portail ou le déplacer. Si je le fais, tu ne retrouveras jamais ta sorcière, celle que tu cherches.

— Tu as raison, je veux la sauver. Laisse-nous passer, moi et Lusse et je me soumettrai à toi. Je te laisserai m'ouvrir la gorge, mais laisse-moi d'abord sauver Kara et sa sœur.

— Tu es prêt à le faire pour des sorcières? s'étonna le garm, soudain moins agressif, pour ces imbéciles de sorcières qui ont ignoré tous mes avertissements? Je ne voulais pas les envoyer à Jormun, tu sais ? J'ai essayé de les prévenir, mais elles étaient trop butées.

— Laisse-nous passer, insista Risk.

— C'est trop tard, hésita le garm. Si d'autres apprenaient que la sorcière m'a défié et a réussi à passer, je les verrais tous défiler ici, pensant pouvoir me battre.

— Personne n'en saura rien. Après tout, j'ai de quoi payer la taxe ?

Le garm hésitait.

— Tuez-le ! mugit Lusse. Sigurd, si Risk ne l'élimine pas, c'est à toi de le faire. Tu seras le nouveau mâle dominant ! s'écria-t-elle le visage couvert de sueur, les bras agités de spasmes.

Dans un rugissement, Sigurd se métamorphosa. Risk se déplaça de façon à avoir le bar dans le dos, Kol à sa gauche et Sigurd à sa droite.

— Tu as peur, alpha ? le provoqua Sigurd en terminant sa transformation.

— Sigurd, couché ! gronda Risk.

— C'est ça ta meute ? demanda Kol avec dédain.

Risk considéra les deux forandres, tous deux décidés à lui ouvrir la gorge pour obtenir ce qu'ils voulaient.

Ce qu'ils veulent, se répéta Risk.

— Sigurd, commença-t-il, tu veux devenir le mâle dominant ? C'est d'accord, je me soumets.

— Te soumettre ? répéta Sigurd avec méfiance, tu ne te soumets jamais, je t'ai vu à l'œuvre dans l'arène le jour où Lusse t'a mis à notre tête.

— C'était avant.

— Avant quoi ?

— Avant que j'aie quelque chose à perdre.

— La sorcière ? hasarda Sigurd.

— Oui.

Et Venge aussi, ajouta mentalement Risk.

— Quelle est la contrepartie?

Risk ouvrit son esprit aux deux belligérants.

— Le garm nous laissera passer, Lusse et moi, mais en échange, tu devras faire serment que jamais cette affaire ne sortira d'ici.

— Les autres cerbères, j'en fais mon affaire, répondit Sigurd, mais que fais-tu des clients qui se sont enfuis?

— Tu trouveras bien quelque chose, répondit Risk, confiant.

— Et pour Lusse?

— Si tout se déroule comme je l'espère, elle ne reviendra pas.

Sigurd éclata de rire et balaya l'air de sa queue.

— Et je resterai le dominant?

— Je ne te défierai pas. Quant à la promesse qu'elle m'a faite de devenir propriétaire de chacun de vous, j'y renonce.

Sigurd sembla peser le pour et le contre.

— Et toi, le loup?

— Si tu respectes ta part du marché, je ferai de même... à une nuance près : je ne veux plus jamais revoir un seul cerbère dans mon bar, jamais.

— Comme si on venait ici par plaisir, soupira Sigurd.

— Jure-le ou l'accord est caduc.

— Juré, grogna le cerbère. Autre chose? demanda-t-il à Risk.

Le regard de Risk passa de la sorcière à Sigurd. Il avait une dernière requête.

— Une fois que nous serons de l'autre côté, je veux que tu libères le jeune Venge.

— Je suis sûr que c'est ton petit, affirma Sigurd, les babines retroussées.

— On est d'accord ?

— Il restera soumis à Lusse, tu le sais ?

— Comme je te l'ai dit, si tout va bien, elle ne reviendra jamais.

Les trois mâles se tournèrent vers Lusse, pâle, exténuée crachant des chapelets de jurons.

Sigurd lança à Risk un signe de tête discret et recula. Risk vint se placer près de la sorcière.

Quelques secondes plus tard le portail s'ouvrit et Risk y poussa Lusse qui passa de l'autre côté sans cesser de jurer.

Elle bascula en avant et Risk se précipita afin d'amortir sa chute.

— Que s'est-il passé ? s'enquit-elle en se relevant, les cheveux en bataille, le souffle court.

— On a réussi, on a franchi le portail, lui murmura Risk en scrutant les alentours.

L'endroit était aussi sombre qu'une nuit sans lune, mais sa vision de cerbère lui permettait de percer sans problème les ténèbres.

— On dirait une sorte de tube, expliqua-t-il en s'avançant de quelques pas, laissant Lusse en arrière. Il y a une porte pas très loin devant nous.

— Comment ça un tube ? demanda Lusse en se recoiffant et en ôtant sa cape. Et puis pourquoi fait-il si chaud ici. Je déteste la chaleur.

— Nous sommes dans un corridor de forme circulaire. On dirait que les murs sont transparents, mais je ne vois rien de l'autre côté.

— Quelle perte de temps, soupira Lusse. Laisse-moi faire.

Elle leva une main.

— Lyse, prononça-t-elle à voix haute.

Aussitôt une faible lumière apparut dans sa paume, à peine suffisante pour éclairer son visage stupéfait.

— Que m'as-tu fait ? demanda-t-elle d'un ton accusateur en se tournant vers Risk.

Comme il aurait aimé avoir le pouvoir de la vider de toute son énergie ! Mais l'heure n'était pas encore venue, il avait besoin qu'elle se sente forte et confiante, pour leurrer Jormun.

— Ce n'est rien, tu es simplement fatiguée de l'effort que tu as fourni pour forcer le portail. Personne n'avait jamais réussi un tel exploit avant toi, ajouta-t-il pour faire bonne mesure.

— Tu dis vrai, admit-elle en serrant son poing sur sa poitrine. Et puis Sigurd détient le garm, n'est-ce pas ? Ça me plaît. Jamais personne n'avait asservi un garm, excepté les dieux.

— Tu es désormais leur égale, la flatta Risk.

— Sommes-nous encore loin de Jormun ?

— Tout près, la rassura-t-il en l'incitant à avancer sans lui offrir son aide.

La sorcière n'était pas de celles qui acceptent l'aide de quiconque et Risk ne souhaitait pas lui rendre les choses agréables. Il atteignit l'extrémité du tunnel et se retourna pour voir où elle en était. Il la vit progresser en se battant avec sa cape, tout en ôtant ses gants.

— Qu'est-ce qu'il y a encore ? s'impatienta-t-elle en arrivant à son niveau.

— Une autre porte, mais celle-ci est gardée. Tu sens cette énergie ?

— Evidemment que je la sens, crétin. Tu vois dans le noir et je suis un peu affaiblie, mais ne te monte pas la tête, cerbère.

— Loin de moi cette idée, Lusse. Quelle est la suite du plan ? s'enquit-il en prenant soin de lui donner l'illusion que tout était sous son contrôle.

— On attend, dit-elle en posant sa cape au sol pour s'en faire un siège. Mes pouvoirs vont revenir et je pourrai forcer le passage, à moins que quelqu'un ne vienne nous ouvrir d'ici là. Dans les deux cas, nous saurons bientôt ce que mijote Jormun.

Risk, tendu comme un arc, ne quittait pas la porte des yeux. Si Sigurd et le garm ne respectaient pas leurs parts du marché, il était condamné à demeurer pour l'éternité dans le royaume de Jormun, en compagnie de Lusse…

17

Une douleur vive traversa l'épaule de Kara. Elle cilla et parvint à se rasseoir. Il faisait jour et le sifflement avait cessé. Elle se massa l'épaule et la nuque. Sans doute s'était-elle endormie lorsque le serpent géant était venu s'enrouler autour du tube.

Quelque chose frôla sa jambe et elle sursauta. Ce n'était que la main de Kelly, posée sur sa cuisse ; sa sœur avait toujours été une vraie marmotte.

Elle se déplaça en prenant garde de ne pas la réveiller et se leva. Dans la seconde qui suivit, Kelly était debout en position de combat.

— Tu feras une mère parfaite, railla Kara. Kelly ! appela-t-elle en constatant que sa sœur ne réagissait pas.

— Désolée, s'excusa-t-elle en cillant, je suis un peu à cran.

Sans rire ? songea Kara en regardant sa sœur se livrer à ses exercices de yoga.

— Kelly ? l'interpella-t-elle une nouvelle fois, mais sa sœur effectuait ses mouvements en fixant un point, loin au-delà de la paroi.

— Il faut qu'on parle, continua-t-elle malgré tout.

— Je t'écoute, dit enfin sa sœur après avoir adopté la posture de la grue.

— On devrait peut-être s'asseoir, proposa Kara.

Kelly hésita un moment avant de s'éloigner.

— Kelly? s'étonna Kara.

— Ne me le dis pas.

— Ne pas te dire quoi?

— Ce que tu essaies de me dire depuis que tu es arrivée ici, lâcha Kelly, dont le visage n'était plus qu'un masque de douleur. Tu sais quelque chose au sujet de Linda, c'est ça? Tu sais pourquoi je ne l'ai pas revue, pourquoi les autres capsules sont vides maintenant, ajouta-t-elle en posant ses mains sur la paroi. J'ignore ce qui leur est arrivé, mais je ne suis pas sûre de vouloir le savoir.

Sa combinaison moulante mettait en évidence son extrême tension musculaire.

— C'est terrible, pas vrai? continua-t-elle, de ne pas vouloir savoir, d'avoir... peur?

Kara s'avança pour réconforter sa sœur, qui fit volte-face.

— Comment ai-je pu être aussi stupide? reprit-elle avec colère. Le barman me l'a dit quand nous y sommes allés pour la première fois, avec Linda, mais je n'ai pas voulu l'écouter. J'ai convaincu Linda d'y retourner, et maintenant...

Elle regarda sa sœur, les yeux brillants.

— Elle est morte, n'est-ce pas, je l'ai tuée? demanda-t-elle.

Kara dévisagea Kelly, elle qui était si forte, elle qui l'avait sauvée un nombre incalculable de fois et qui tremblait aujourd'hui comme une feuille devant elle. C'était à Kara de se montrer forte maintenant.

— Tu n'as rien à te reprocher. Nous faisons tous des choix et tu pensais que c'était la meilleure chose à faire. Linda en était convaincue elle aussi, et j'en suis persuadée. Elle aurait peut-être eu un sort tragique de toute façon.

Ils nous traquent, ajouta Kara dans un soupir tremblant, si ça n'avait pas été Linda, ç'aurait été une autre. C'est toi qui avais raison, nous devons les arrêter.

— Nous allons les arrêter, affirma Kara en tendant la main à sa sœur.

Les oreilles de Risk basculèrent vers l'avant. Un sifflement lui parvenait depuis l'autre côté de la porte. Quelqu'un venait.

— Lusse, ils arrivent, dit-il à la sorcière, assise le menton posé sur les genoux, certainement occupée à tramer quelque chose.

— Bien, sourit-elle.

— Comment procède-t-on? lui demanda-t-il mentalement.

— J'ai presque récupéré mes pouvoirs. Je vais me débarrasser des gardes et m'emparer de ce qui me revient.

— Les sorcières?

— Oui, et tout ce qui se présentera.

— Mais...

— Quoi?

— Rien, c'est juste que je trouve dommage de repartir sans avoir appris les secrets de Jormun.

Lusse fit une grimace.

— Peut-être pourrait-on trouver un moyen de circuler à notre guise dans son royaume? proposa Risk, ainsi tu pourras t'emparer des sorcières et repartir quand bon te semblera.

— Oui..., répondit-elle, pensive. Ce sont des sorcières qu'il veut, n'est-ce pas?

— Les plus puissantes qui soient.

— Et qui me surpassent ? s'enquit-elle avec suffisance.

— Personne ne te surpasse, répondit Risk en priant pour ne pas se tromper.

— Exactement. On doit pouvoir gagner sa confiance... quel est ce détail sur lequel le garm ne cessait d'insister, déjà ?

— La taxe, murmura Risk, espérant secrètement qu'elle coopérerait, ce qui lui permettrait de négocier l'échange qu'il avait en tête.

— Je n'aime pas l'idée de jouer les marchandises, dit-elle en plissant le nez, provoquant une tension chez le cerbère, mais nous pourrions piquer sa curiosité en lui proposant...

Elle frappa dans ses mains et s'écria :

— Un défi, par exemple ! A ce qu'on dit, il en est friand, et il n'a pas dû avoir beaucoup d'occasion de se divertir depuis son exil prononcé par Odin. Oui, je vais défier ses sorcières, il ne pourra pas résister, pouffa-t-elle. Ce stratagème nous permettra d'approcher Jormun, mais j'aurais besoin que tu l'occupes, le temps que mes pouvoirs me reviennent entièrement.

La porte se mit à pulser et Lusse recula. Sa cuisse frôla le pelage de Risk.

— Et n'oublie pas que la puissance de cette entrave demeure, alpha, lui glissa-t-elle en saisissant sa chaîne. Si tu essaies de t'échapper, je jetterai ton fils dans la fosse et t'enfermerai dans une cage pour l'éternité.

Deux étranges êtres glabres les saluèrent dès que la membrane se fut effacée. Leurs yeux immenses brillaient d'une lueur jaune et leurs langues bifides jaillissaient régulièrement de leurs bouches, venant frôler le visage des deux visiteurs.

— Lusse, intervint Risk mentalement, n'oublie pas ton plan.

La sorcière tressaillit, mais se laissa ausculter. Ils s'intéressèrent particulièrement à Risk et semblèrent discuter vivement à son sujet.

— Qu'est-ce que c'est que ces choses ? demanda-t-il mentalement.

— Aucune idée, répliqua-t-elle à voix haute avec un soupir d'impatience.

Risk huma les êtres reptiliens. Ils avaient la même odeur que le tube : chaleur, humidité, avec un petit quelque chose en plus qu'il n'identifiait pas, une odeur surnaturelle qui aiguillonnait ses sens de cerbère.

— Ces créatures ne sont pas naturelles, songea Risk.

— Vraiment ? s'étonna-t-elle en les observant de nouveau, tendant la main dans leur direction.

— Tu as raison, dit-elle enfin avec excitation, ils ont été fabriqués.

— Nous sommes l'œuvre du Grand Faiseur, expliqua l'un d'eux. Et toi, qu'es-tu ?

Risk fut surpris de les entendre parler. Il consulta Lusse du regard, qui lui fit signe de répondre.

— Je suis un forandre, un cerbère, projeta-t-il mentalement.

— Tu peux te transssformer, comme le Grand Faiseur ? Ton autre forme est aussi le ssserpent ?

— Non, mon autre forme est celle d'un humain, répliqua-t-il avec un sourire carnassier.

— Nous ignorions que d'autres possédaient la puissance du Grand Faiseur.

— Transforme-toi, demanda le second reptile.

Risk n'aimait pas ça, il n'était pas une bête de foire, mais Lusse s'impatientait près de lui, elle avait hâte d'en finir.

— Oui, oui, métamorphossse-toi, s'enthousiasma le premier.

La requête demandait réflexion. Risk était plus puissant sous forme animale, mais cela ne lui servirait pas à grand-chose s'ils étaient coincés ici. Et puis redevenir humain les forcerait à le traiter en égal.

Il poussa un grognement et ordonna à son esprit et à son corps de se soumettre à son apparence humaine. Il se redressa bientôt, la sueur perlant sur sa peau nue.

— Oh, il l'a fait ! s'exclama une créature en reculant, les yeux encore plus brillants. Oui, oui ! Comme il est grand !

— Pas autant que Jormun, tempéra l'autre.

— Non, non, Jormun est le plus grand de tousss.

Lusse se drapa dans sa cape avec impatience, mais Risk lui effleura le bras pour lui rappeler leur plan. Si les gardes s'agaçaient, ils leur refermeraient le passage. La sorcière se calma à contrecœur.

— Et elle ? demanda l'homme serpent, est-ce la taxe ?

Lusse ouvrit la bouche pour répondre, Risk tenta de l'interrompre, mais l'homme serpent enchaîna aussitôt.

— C'est trop tard de toute façon, Jormun n'a plus besoin de celles de son essspèce. Désolé, forandre.

Les deux créatures les saluèrent et firent mine de partir.

— Halte, ordonna Lusse.

Les reptiles se retournèrent, agitant leurs langues bifides.

— Il a *forcément* besoin de moi, affirma Lusse.

Les créatures se consultèrent du regard, puis se tournèrent vers Risk, indécises.

— Ta taxe souhaite servir Jormun ?

— Je ne suis pas une marchandise, annonça Lusse en s'avançant vers eux, je viens défier les sorcières de Jormun.

Risk fronça les sourcils. Cette arrogance était intolérable, comment les créatures allaient-elles réagir à cela ?

— Jormun ne souhaite-t-il pas posséder la plus puissante des sorcières ? argumenta-t-il néanmoins.

Lusse se détendit sensiblement.

— Il les posssède déjà, répondirent les reptiles, toujours hésitants.

— Impossible, cracha Lusse.

— Comment pourrait-il le savoir, la coupa Risk, a-t-il pris soin de les faire se mesurer entre elles ?

— Et d'ailleurs, comment êtes-vous arrivés ici ? demanda l'un des gardes après avoir consulté son compagnon. Le garm ne laisse passer que ceux qui s'acquittent de la taxe.

— J'ai forcé le passage, répondit Lusse avec un sourire, et j'ai réduit le petit loup en esclavage.

Les hommes serpents interrogèrent Risk du regard. Ce dernier confirma, espérant que le garm ne ferait rien de son côté qui risquerait de les trahir.

— Nous allons consulter Jormun, décidèrent les gardes après un nouveau conciliabule, attendez ici.

Le passage se referma, laissant Risk seul avec Lusse excédée. A peine eut-elle le temps de pester contre cet accueil que les gardes reparurent. L'un d'eux tendit à Risk un vêtement noir.

— Voici pour votre confort. Jormun a jugé que vous préféreriez être vêtu.

Risk enfila la combinaison moulante, identique à celle que portaient ses vis-à-vis. Une fois habillé, ils s'engagèrent tous les quatre dans le passage qui les mena dans un grand hall puissamment éclairé.

Un homme qui devait faire une tête de plus que Risk se tenait devant une baie vitrée convexe qui donnait sur l'océan. Il claqua ses deux mains ensemble en les voyant arriver.

— Un cerbère, s'exclama-t-il avec délice, voilà une éternité que je n'en avais pas vu. Chassez-vous toujours aux côtés des dieux ?

— Il n'y a plus de chasse, expliqua Risk.

— Vous traquez donc les sorcières désormais ? demanda-t-il en croisant les bras sur son immense torse.

— Nous ne le faisons pas tous, moi oui.

— Hum. Et celle-ci serait de taille, d'après toi à vaincre mes jumelles ? Elles sont identiques, tu le sais ?

— C'est ce qu'on m'a dit. C'est rare, certes, mais la sorcière que vous avez devant vous est sans égal.

— Elle est certes plus crâne que les autres, concéda Jormun en jaugeant Lusse.

— Je n'ai rien à craindre d'elles, affirma-t-elle en croisant les bras à son tour, se calant sur le langage corporel de Jormun.

Le dieu déchu éclata de rire. Longuement. Puis il s'intéressa à Risk.

— Vous avez mon attention. Que demandez-vous en échange ?

— Rien. Un affrontement me comblera.

— Entre elle et mes jumelles ? s'étonna Jormun.

Lusse se mit à battre la mesure avec ses semelles.

— Elle est plus puissante qu'elle n'en a l'air, affirma Risk.

— Je suis *la plus* puissante, corrigea Lusse, j'ai passé ma vie entière à vampiriser d'autres sorcières.

— Ah ? Et qu'avez-vous à m'offrir, si je gagne ?

— Mon cerbère, proposa Lusse.

— Le forandre ? Et qu'en pense l'intéressé ? s'enquit-il en se caressant le menton.

Risk ne savait que penser. Comptait-elle tenir son engagement ou était-ce encore un de ses tours ? Oh et puis quelle importance… si Lusse perdait, ne vaudrait-il mieux pas demeurer prisonnier ici avec Jormun ? Au moins serait-il près de Kara et peut-être trouverait-il un moyen de s'enfuir ?

Le dieu s'approcha de Risk et lui asséna une tape amicale sur le dos. Le cerbère encaissa l'énorme coup de boutoir avec le sourire.

— Peu importe, reprit Jormun, un peu de divertissement et de conversation me feront le plus grand bien. Ça me changera de ces avortons de skapts, ajouta-t-il en désignant les reptiles qui le vénéraient du regard.

— Attendez, le retint Lusse. Nous n'avons pas décidé de mon gain, après ma victoire.

— Après votre victoire, répéta Jormun, amusé. Eh bien, je vous écoute.

— Rien de bien extraordinaire. Je veux connaître vos secrets, savoir ce que vous avez fait ici depuis qu'on vous y a envoyé. Je veux savoir d'où viennent les skapts et comment ils ont été créés.

— Rien de bien extraordinaire, en effet, admit Jormun en serrant pourtant les poings.

Une aura de puissance jaillit autour du dieu. Risk fut pris au dépourvu, mais Lusse ne laissa rien paraître.

— Juste un conseil, sorcière, confia Jormun à Lusse en se penchant vers elle. Mes secrets m'appartiennent et je ne les partage guère, cependant… étant donné que vous n'avez pas la moindre chance de vaincre mes protégées, j'accepte cette demande.

Jormun quitta la pièce sur ces mots, les skapts dans son sillage. Risk n'en revenait pas, Lusse avait fait de lui un trophée, et pas un mot sur la liberté de Kara et de Kelly. Il fallait qu'il trouve un moyen de laisser la sorcière ici et de partir avec les jumelles. D'ici là, sa seule perspective était qu'elles remportent la victoire et qu'il reste ici avec elles. Si Lusse l'emportait, il perdrait tout. Quoique à bien y réfléchir… Lusse avait mis Jormun en colère, et il avait dit vouloir posséder la plus puissante des sorcières. Peut-être y avait-il là une marge de manœuvre.

Kara prit Kelly dans ses bras. Sa sœur eut un instant de doute avant de se détendre, les larmes aux yeux.

— Tu as fait ce qu'il fallait, lui assura Kara en lui passant la main dans les cheveux. On trouvera un moyen de se sortir de là, on est des sorcières, après tout ! Et pas des moindres, d'après ce que j'ai compris.

— Qu'est-ce qui t'est arrivé ? lui demanda Kelly en serrant sa sœur un peu plus fort, visiblement émerveillée par son changement.

— Tu ne me croiras jamais, rétorqua Kara.

— Regarde autour de toi, suggéra Kelly en riant, il va en falloir beaucoup pour m'étonner.

Kara rit à son tour, profitant de ce court moment de partage.

— O.K., mais je t'aurais prévenue, je…

Il y eut un cliquetis et un panneau coulissa dans le mur.

— Ah, le petit déjeuner, murmura Kelly en jetant un regard en coin à sa sœur. Tu te moquais de mon obsession pour le ketchup, tu te souviens ? Eh bien, tu vas regretter de ne pas en avoir une citerne sous la main.

Kelly s'approcha du mur et on lui tendit deux bols.

— Miam, grimaça-t-elle en revenant vers sa sœur.

— C'est quoi ? demanda-t-elle en observant l'amas de grains bruns.

— Des croquettes, expliqua-t-elle en avalant une poignée du curieux aliment. On pourrait espérer que ça ait vaguement le goût de poulet… mais non.

— On est censées manger ça ? s'étonna Kara en l'imitant.

— J'ai fait la grève de la faim, les premiers jours, mais j'ai vite arrêté. Ça ne sert à rien de mourir de faim, et si on veut s'évader, autant prendre des forces.

Kara broya une nouvelle bouchée de croquettes entre ses dents. Elles avaient un goût de poisson rance. Elle retint son souffle et avala. Kelly fit de même en se bouchant le nez.

— J'aimerais pouvoir te dire qu'on s'y fait…

La petite ouverture apparut de nouveau et cette fois on leur tendit de l'eau. Elles mangèrent et burent en silence. L'esprit de Kara vagabonda vers Risk et elle se demanda s'il savait déjà ce qu'elle avait fait. Sans doute s'en moquait-il ? Y avait-il une chance pour qu'il vienne la chercher ici ? Les croquettes formèrent une boule au fond de sa gorge. Pourquoi prendrait-il cette peine alors qu'elle l'avait chassé ? A moins bien sûr qu'il n'ait toujours le projet de les utiliser pour se libérer de Lusse.

Elle manqua s'étouffer, mais parvint à avaler l'ignoble nourriture.

Oh et puis zut, elle se fichait bien qu'il vienne la chercher pour la revendre au plus offrant, il lui manquait tellement !

— On va devoir faire le plein d'énergie, dit Kelly, interrompant le flot de ses pensées.

Kara écrasa une larme et se tourna vers sa sœur.

— Tu sais que nous sommes des sorcières, continua Kelly, mais tu t'es déjà exercée ? demanda-t-elle en mangeant.

— Euh, oui, répondit Kara en ravalant ses larmes, c'était… *enivrant, grisant, effrayant*… étrange, dit-elle enfin.

— Etrange. Je ne me souviens pas avoir ressenti…

Le mur derrière elles perdit de son opacité.

— Déjà ? Je croyais qu'ils ne faisaient ça qu'une fois par nuit ?

— C'était le cas jusqu'ici, répondit Kelly en posant son bol au sol avant de se relever. Oh bon sang, regarde ce qui arrive.

— Quoi ? demanda Kara avec inquiétude.

Le bol serré contre sa poitrine, elle vit Jormun s'avancer dans le tube, suivi de quatre hommes serpents. Une femme blonde vêtue de blanc les suivait, accompagnée de Risk vêtu d'une combinaison noire moulante.

Le bol lui échappa et tomba au sol dans un grand fracas qu'elle entendit à peine, le regard fixé sur le cerbère.

18

Risk suivit Jormun et ses gardes le long du couloir. Lusse dévisageait ses hôtes avec intérêt. Ils étaient cernés de toutes parts par ce qu'il supposait être l'*Océan* de Midgard, arpenté par des bancs de poissons brillants.

Rapidement le tunnel s'opacifia.

— Voici les appartements de mes invités, annonça Jormun en désignant la paroi opaque qui devint subitement transparente…

Il se retrouva brusquement nez à nez avec Kara, vit le bol qu'elle avait entre les mains lui échapper, et celle qui était à l'évidence sa sœur, la serrer contre elle.

— Et voilà mes sorcières, annonça-t-il fièrement. Elles doivent encore faire leurs preuves, mais le potentiel est là, et leurs yeux…

Il baissa la voix et conclut sur le ton de la confidence :

— Ils sont violets, vous imaginez cela ? Le pouvoir à l'état pur, je suis bien certain que ta sorcière ne dispose de rien de tel.

Absorbé par la chevelure et le visage d'ange de Kara, Risk entendit à peine la question de Jormun.

— Tu m'écoutes, cerbère ? Je prétends que ta sorcière est incapable de manipuler la puissance brute. C'est le cas ?

— La puissance pure est décorative, au mieux, répondit

Lusse en masquant à peine un bâillement, C'est le pouvoir maîtrisé qui importe lorsqu'on souhaite accomplir un charme digne de ce nom.

Risk s'arracha à sa contemplation hypnotique.

Dans la bulle voisine, Kelly avait pris les mains tremblantes de Kara dans les siennes, mais la jeune femme ne sembla pas s'en rendre compte.

— Bien, passons, conclut Jormun. Vous les observerez à votre guise depuis votre propre bulle.

La paroi s'obscurcit d'elle-même, laissant Risk avec l'image du visage tourmenté de Kara.

— Souhaites-tu disposer de tes propres appartements, cerbère, ou veux-tu les partager avec ta sorcière ?

Les deux reptiles saisirent Lusse pour la faire avancer, mais elle se libéra d'un mouvement d'épaule, prête à en découdre. Risk s'interposa.

— Nous allons rester ensemble, ce sera parfait.

La bulle voisine… Au moins pourrait-il veiller sur Kara.

— Vous trouverez tout ce qu'il vous faut à l'intérieur, leur dit Jormun en faisant signe aux gardes de lâcher Lusse, qui les fusilla du regard en retour.

— Je vous ferai savoir lorsque je serai prête pour le combat. D'ici là, Risk sera heureux de vous divertir, annonça-t-elle en pénétrant aussitôt dans la bulle.

Jormun adressa un regard surpris à Risk avant d'éclater de rire.

— Elle ne possède certes pas le pouvoir pur, mais c'est assurément un caractère ! conclut-il avec une pointe d'admiration dans le regard.

— En effet, confirma Risk en observant le géant, une idée lui traversant l'esprit. Elle va vaincre les sœurs, vous en avez conscience ?

— Tu le penses vraiment ? s'inquiéta Jormun, tu ne crois donc pas aux légendes au sujet des jumelles ?

— Elles sont certainement fondées, mais Lusse gagne en puissance depuis des siècles..., ajouta-t-il, provoquant un froncement de sourcils chez son interlocuteur. Bien sûr vous ne risquez pas de perdre grand-chose, quelques secrets, tout au plus. Enfin... si vous décidez de tenir parole...

Risk s'adossa à la paroi. Le dieu semblait l'avoir en plus grande estime que Lusse et cela pouvait jouer en sa faveur.

— Je tiens toujours parole, répliqua Jormun, piqué au vif. Nous avons passé un contrat, et j'attends de vous deux la même honnêteté.

— Je n'ai passé aucun accord.

— C'est juste, admit Jormun, contrarié.

— Mais je suis ouvert à toute proposition.

— En quoi un second accord me satisferait-il davantage que le premier ?

— J'ai réussi à amener Lusse jusqu'ici, non ? Et le garm a accepté qu'elle soit ma taxe de passage, posez-lui la question.

Risk avait conscience de jouer gros. Après avoir espéré que Kol ne vendrait pas la mèche, il en venait à souhaiter qu'il ait surtout cherché à protéger sa réputation.

— Elle n'a donc pas forcé le passage comme elle l'a affirmé aux skapts ?

— Vous n'avez pas eu l'occasion de discuter avec le garm ? s'étonna Risk, redoutant la réponse.

— Il n'a pas répondu à mon appel, mais le plaisir d'avoir un cerbère ici m'a incité à vous accueillir... provisoirement.

Risk sourit intérieurement ; son plan pouvait fonctionner.

— Lusse est persuadée d'avoir forcé le passage, mais le garm connaît la vérité. Ça change pas mal de choses, n'est-ce pas, hasarda Risk.

— Oui, en effet, concéda le dieu. Selon les règles qui régissent le portail, quiconque s'acquitte de la taxe peut recevoir la récompense que je juge appropriée.

Risk masqua son impatience en soutenant le regard divin.

— J'ai cependant accepté le principe de ce combat, je ne peux revenir en arrière. Si elle l'emporte, je lui révélerai mes secrets. Dans le cas contraire, tu seras ma compensation.

— Et si on faisait monter les enchères ?

— J'écoute, dit Jormun, intéressé.

— Si Lusse gagne, vous la gardez en paiement de la taxe. Et en échange — il inspira profondément — j'ai les jumelles.

— Les jumelles ! s'exclama Jormun en faisant un pas en arrière, non, elles ont beaucoup trop de valeur.

— Mais elles ne vous seront plus d'aucune utilité une fois que vous aurez Lusse. Si elle les bat, elle aura prouvé qu'elle est la plus puissante et elle sera *à vous*. Peu importe, dès lors, qu'elle connaisse vos secrets, puisqu'elle demeurera ici. Ils resteront à l'abri, au fond de l'océan.

— Ah, forandre, tu es fort et tu as l'esprit vif, le félicita Jormun en le gratifiant d'une tape amicale, j'espère que ta sorcière perdra, tu feras un compagnon bien plus appréciable.

Ils scellèrent ainsi leur marché et Risk rejoignit Lusse, laissant le dieu marmonner en se frottant les mains. Lusse avait raison, Jormun avait des secrets et par chance, il ne souhaitait pas que le monde en ait vent.

Il restait au cerbère à s'assurer que Lusse gagne le combat, sans blesser les jumelles.

— Il les a fabriqués ! s'exclama Lusse dès que Risk eut franchi la porte.

Risk glissa un œil en direction de la bulle voisine, mais ne répondit rien.

— Tu as entendu ce que je viens de dire ? Il les a *fabriqués*. Tu te rends compte de la gravité de son crime ? Les dieux risquent de le punir pour avoir fait ça, affirma-t-elle sous le regard vide d'une anguille qui longeait la paroi de leur bulle. J'aimerais bien savoir où il cache la source de son pouvoir. Il empeste la puissance, mais rien qui lui permette un tel prodige…

— Il me faut ce pouvoir, déclara-t-elle en fixant la porte.

— Tu l'auras une fois ta victoire acquise, lui rappela Risk.

— Oui, sans aucun doute.

Lusse rejoignit l'extrémité qui donnait sur la bulle dans laquelle se trouvaient les jumelles. L'océan les séparait, mais Risk parvenait à distinguer les mouvements gracieux de Kara de ceux, plus brusques, de sa sœur.

— Elles font envie, non ? Elles iraient bien avec mon garm.

— Mais elles ne font pas partie du marché.

— Comme si j'en avais quelque chose à faire de ce *marché* ! lança-t-elle par-dessus son épaule. Tu ne crois tout de même pas que je compte te laisser ici ? Tu es pénible, c'est vrai, mais tu es à moi. Si tu ne veux pas que je change d'avis, va donc faire ami-ami avec ce crétin géant, et débrouille-toi pour apprendre comment il fabrique ces… choses.

Elle se tut un instant et reprit l'air pensif :

— Je n'aurai même pas à prouver ma supériorité avec un peu de chance, encore que ça puisse se révéler amusant.

Elle se drapa dans sa cape et lui tourna le dos en ordonnant :

— Va donc faire ce que je t'ai dit. Laisse-moi, je dois me recharger.

Risk ravala un grognement. Elle était insupportable, mais elle avait raison, il devait se rapprocher de Jormun pour qu'il le laisse approcher Kara. Risk devait la préparer à la bataille qui s'annonçait.

— Tu le connais ? demanda Kelly en fixant le couloir où se tenait Risk quelques instants plus tôt.

— Il… c'est grâce à lui que j'ai appris… à notre sujet.

— Vraiment ? Il pratique la sorcellerie, lui aussi ? Tu crois que c'est pour ça qu'il est là ? Non, il n'avait pas l'air d'un prisonnier. Ils n'éclaircissent pas la paroi de cette manière en dehors du… du rituel. Et puis Jormun ne m'a pas amenée ici en personne. Toi si ?

Kara secoua la tête, mortifiée à l'idée de ce qu'elle s'apprêtait à dire.

— On dirait que Jormun nous exhibe, continua Kelly, pourquoi faire une chose pareille ? Et puis c'est qui la reine des glaces, là ? Pourquoi tu ne me dis rien, Kara ?

— J'ignore pourquoi ils sont là.

— Mais tu sais qui ils sont et ce qu'ils sont…

— Je crois qu'elle s'appelle Lusse, c'est une sorcière, avoua Kara tandis que sa sœur s'approchait, ne lui laissant aucune échappatoire.

— Ça rime à quoi sa cape, ses gants, sa tenue blanche ?

— Je n'en sais rien, avoua Kara en s'asseyant sur ses talons, le regard dans le vague. Je crois qu'elle est maléfique, qu'elle… vampirise les autres sorcières.

— Et le costaud qui l'accompagne ?

— Il travaille pour elle. C'est comme ça que je l'ai rencontré ; il me traquait.

— Attends une seconde. Je disparais, et toi tu rencontres un mec superbe, le premier en quoi… trois ans ? Et il travaille pour une sorcière maléfique qui vide ses congénères de leur énergie. Tu en as d'autres du même style ? s'exclama Kelly en arpentant la pièce. Et moi qui croyais avoir un goût déplorable en matière de mecs…

Kara baissa les yeux. Et dire qu'elles n'avaient pas encore abordé la partie la plus problématique… Quand Kelly apprendrait la nature réelle de Risk, elle serait sans doute incapable de comprendre les sentiments de Kara à son égard. Elle-même savait que ça n'avait aucun sens, mais comment s'en empêcher ?

— Il y a autre chose, ajouta finalement Kara. Risk n'est pas un sorcier, c'est un… un cerbère.

— Un quoi ? s'exclama Kelly.

— Un cer…

— J'avais compris, mais je n'arrive pas à y croire.

— Il est peut-être là pour nous sauver, hasarda Kara sans cesser de fixer ses pieds.

— Ouais, bien sûr ! Est-ce que tu sais seulement ce que sont les cerbères, à quoi on les utilisait ? Ils faisaient partie des grandes chasses, lança-t-elle.

Elle regarda Kara, qui se tenait prostrée, le menton sur les genoux, et reprit la parole d'un ton docte.

— Les dieux utilisaient les cerbères pour traquer les âmes, et de ce que je sais, ils n'étaient pas très regardants sur l'état dans lequel ils les ramenaient. Ils vivaient pour la chasse, pour le meurtre, j'ignorais qu'ils pouvaient avoir forme humaine… Tu es certaine qu'il n'a pas dit ça pour se faire valoir ? demanda-t-elle en se radoucissant.

— Je les ai vus sous leur autre forme, lui et un autre, la nuit où l'on s'est rencontrés.

Elle raconta à Kelly l'épisode du parking, du chalet et tout ce qui s'était passé depuis.

Kelly vint s'asseoir lourdement près de sa sœur.

— Là d'accord, tu me bats largement au concours du petit ami le plus tordu, sœurette, admit Kelly en lui prenant la main. Mais ne t'inquiète pas, tu t'en remettras. Et puis il est ici, maintenant.

Kara soupira et tourna la tête en direction de l'autre bulle, dans laquelle Risk se trouvait, les paumes plaquées contre la paroi, le regard rivé sur elle. Son cœur fit un bond et elle détourna les yeux. Devait-elle lui parler ?

— Remarque, je comprends que tu aies eu envie de te laisser mordre, se moqua gentiment Kelly.

Kara se leva et adopta la même posture que Risk. Il la regardait avec une telle intensité ! Est-ce qu'il essayait de lui dire quelque chose ?

— Il est… vraiment magnifique, répéta Kelly en la rejoignant près de la paroi, mais tu sais que tu ne peux pas lui faire confiance. Il t'a dit lui-même qu'il te chassait pour le compte de la reine des neiges, pas vrai ?

— Oui, mais c'est plus compliqué que ça. Et puis il est là maintenant. Qui dit que ce n'est pas pour nous sauver ?

La porte menant à la bulle de Risk et Lusse s'ouvrit et Jormun apparut. Avec un large sourire, il invita Risk à le suivre.

— J'en suis sûre, Kara. Tu l'as vu comme moi, c'est un invité, il n'est pas là pour nous aider, il travaille pour l'autre camp.

Kara se détourna et plongea le regard dans les profondeurs de l'océan de Midgard. Kelly avait raison, Jormun et Risk semblaient en excellents termes, cependant le garm l'avait prévenu que les apparences étaient souvent trompeuses.

— Je ne sais pas ce qu'il fait ici, continua Kelly, mais je pense que c'est mauvais pour nous. Tu ne peux pas lui faire confiance, alors oublie-le. On doit se débrouiller par nous-mêmes. Ils finiront par ouvrir cette porte pour nous emmener Dieu sait où, comme ils l'ont fait avec les autres, mais nous, nous serons prêtes. Pas vrai?

Kara ferma les yeux, hésitant entre se fier à sa sœur et laisser le bénéfice du doute à Risk.

— Pas vrai? répéta Kelly en lui serrant les mains.

Kara rouvrit les yeux et vit l'expression déterminée de sa sœur. Elle avait pu s'appuyer sur elle toute sa vie durant, pourquoi ne pas continuer? Et puis elle lui devait de faire tout ce qu'elle pouvait pour la sauver.

— D'accord, dit-elle enfin en acquiesçant énergiquement, par quoi on commence?

— Tout ira bien, fais-moi confiance, la rassura Kelly en la prenant dans ses bras.

Kara passa le reste de la journée à ignorer de son mieux Lusse, dans la bulle voisine, et à ne pas guetter Risk.

Les heures passèrent, Kelly lui enseignant la manière d'absorber l'énergie de leur environnement. Kara finit par tomber à genoux au sol. Si elle continuait à ce rythme, elle allait exploser.

— D'où vient cette énergie ? demanda Kara en pressant avec avidité un sac à eau contre ses lèvres.

— Je n'en sais rien, mais ça ne nous permettra pas de faire grand-chose. Pas de nous ouvrir un passage en tout cas. Dommage que la porte se renforce au moment de la cérémonie du serpent, quoique c'est à ce moment-là qu'il y a le plus de monde…

— Tu penses qu'on pourrait essayer de sortir pendant le rituel ? demanda Kara en agitant un doigt en l'air ; même manipuler une si faible quantité d'énergie l'épuisait.

— Non, répondit Kelly en posant ses mains de chaque côté de la porte, impossible d'échapper aux hommes serpents. Cela dit, si on y travaille d'arrache-pied, on pourra les cueillir dès qu'ils nous ouvriront la porte.

— Les attaquer, tu veux dire ? s'exclama Kara.

Ces créatures étaient étranges, certes mais jusqu'ici, elles ne s'étaient pas montrées agressives, elle ne voyait aucune raison de les agresser.

— C'est sérieux, Kara, dis-toi que c'est eux ou nous. Nous devons sortir d'ici, à tout prix.

Le regard de Kara glissa encore une fois vers la bulle dans laquelle Lusse s'entraînait sans relâche, et elle sentit comme chaque fois, un malaise terrible lui saisir le ventre. Des lumières apparurent dans la pièce voisine, faisant apparaître une silhouette masculine. Kara fut irrésistiblement attirée vers la paroi. On le distinguait à peine dans sa combinaison noire, mais la vision de ses muscles moulés et de ses cuisses puissantes suffit à accélérer les battements de son cœur.

— Oublie-le, je t'assure.

Kara déglutit avec difficulté en voyant la sorcière

blanche s'approcher de lui avant de laisser ses mains errer sur son torse. *Il est à moi*, semblait-elle dire. Et puis d'un geste de la main, elle fit naître un brouillard blanc qui les dissimula entièrement.

— Qu'est-ce qui s'est passé ? demanda Kelly en voyant la mine effondrée de sa sœur.

— Rien, tu avais raison, déclara Kara en chassant ses larmes naissantes, tu avais raison, on doit s'échapper, et on ne peut compter que sur nous-mêmes.

— Ça va aller, Kara, je te le promets. Est-ce que je t'ai déjà laissé tomber ?

Non, Kelly avait toujours été là, elle pouvait lui faire confiance, elle s'occuperait de tout.

Kara vit Lusse revenir au centre de la pièce et lever les bras pour reprendre ses exercices. Voilà qu'elle recommençait à se reposer uniquement sur sa sœur, comme autrefois. Cela dit, songea-t-elle en se tournant vers la bulle voisine, on voyait où ça l'avait menée de suivre son instinct.

Risk s'échappa de l'étreinte de Lusse.

— C'était quoi, ça ? lui demanda-t-il.

La sorcière avait coutume de laisser planer des sous-entendus tendancieux sur leurs relations, mais jamais elle n'avait montré la moindre attirance sexuelle pour lui ni pour aucun autre mâle. Il ignorait si ces précautions venaient de sa crainte de se retrouver enceinte, ou s'il s'agissait de ses préférences, et à la vérité, il s'en moquait éperdument.

— C'était pour ta petite sorcière, là-bas, s'esclaffa-t-elle. Elle en pince vraiment, on dirait. Tu es bien certain de ne rien éprouver pour elle ?

— Bien sûr que non. J'avais besoin de gagner sa confiance, voilà tout, répliqua-t-il en s'éloignant.

— Hum, je l'espère, murmura-t-elle en modelant une sphère de flammes dans sa main, je n'aimerais pas me rendre compte qu'après toutes ces années, je suis obligée de me méfier de toi. Et je suis certaine que Venge n'aimerait pas ça non plus.

Elle referma la main sur la boule incandescente, dont il ne resta bientôt plus qu'une fumerolle vaporeuse.

— Tu as remarqué cette impression qui flotte dans l'air ? C'était plus fort en dehors de cette... bulle de plastique, cracha-t-elle avec dégoût, mais j'en perçois les rémanences. Le complexe doit être relié d'une manière ou d'une autre à la source qu'utilise Jormun pour modeler ses créatures. As-tu appris quelque chose de ton côté ?

Risk sentit son estomac se serrer. Jormun s'était montré amical, mais il avait refusé qu'il s'entretienne avec Kara. Il n'avait plus le choix, il fallait qu'il s'en tienne à son plan en espérant pouvoir communiquer avec elle à un moment ou à un autre. Pour l'heure, il devait resserrer le nœud de ses mensonges, et l'enrouler prudemment autour du cou de Lusse.

— Oui. Jormun s'est montré assez loquace. Il m'a promis de me montrer de quelle façon il les fabrique, en échange d'une preuve de notre éthique morale.

— Ethique ? articula Lusse comme si le mot la dégoûtait.

— Il veut être certain que les jumelles ne seront pas blessées durant le combat. Elles ne lui seraient plus d'aucune utilité alors.

— Bien. Et c'est tout ?

— Oui, je crois... Risk fit mine de réfléchir. Non, il a demandé à ce que tu portes un objet, garant d'un combat à la régulière. Si je peux te convaincre de le porter, il me fera suffisamment confiance pour me révéler la source de son pouvoir.

— Comment être certain que cet *objet* ne truquera pas le combat en sa faveur ?

— Je veux bien l'essayer avant toi, si tu veux.

— Je n'aime pas ça, dit Lusse, méfiante. Tu n'es pas une sorcière, les effets pourraient être différents sur toi.

— C'est juste. Mais c'est son unique requête !

— Est-il digne de confiance, selon toi ?

— Oui, affirma Risk après avoir fait mine de considérer la question, il partage le goût du garm pour les lois et les codes.

— Sans doute un effet secondaire, quand on vit près d'un portail.

Des notions telles que la parole donnée et la confiance étaient parfaitement étrangères à la sorcière, se souvint Risk.

— Dis-lui que j'accepte, dit enfin Lusse en faisant apparaître une nouvelle sphère de flammes bleutées. Sors, à présent, je dois m'entraîner. Je ne veux pas que Jormun doute de ma puissance.

— Je suis persuadé que le message passera.

Risk sortit de la bulle, laissant Lusse à son entraînement et à ses illusions.

19

— Pourquoi veux-tu absolument parler aux jumelles ? s'enquit Jormun, affalé sur ses coussins.

— Par simple curiosité, répondit Risk en feignant une apparente désinvolture.

— La curiosité est un vilain défaut, pouffa Jormun.

Risk tapota nerveusement le bracelet que le dieu lui avait confié à l'intention de Lusse.

— L'heure du combat approche, enchaîna Jormun. Les jumelles ont travaillé dur, est-ce que tu les as vues s'entraîner dans la bulle voisine de la vôtre ?

Risk serra la mâchoire. Oui il les avait vu faire et leur détermination lui causait du souci. Elles étaient parfaitement capables de vaincre Lusse et ce qui avait été son rêve était en train de devenir son pire cauchemar.

— Tu sembles soucieux. Ne crains rien mon ami, la vie est pleine de surprises, affirma-t-il. Je vais te demander de me laisser, à présent. J'ai négligé certains devoirs depuis votre arrivée, qui ne peuvent souffrir un plus grand retard. Les skapts t'escorteront jusqu'au tube.

— Ça ira, je retrouverai mon chemin sans peine.

Et je m'arrêterai pour voir Kara en chemin, songea-t-il.

— Non, asséna Jormun avant d'ajouter avec un sourire cordial : pas pour le moment. Je ne tolère aucun étranger dans les couloirs durant la cérémonie.

Cérémonie ? nota Risk mentalement, peut-être en saurait-il bientôt plus sur l'origine de ce pouvoir ?

Un homme serpent lui fit signe de le suivre et Risk lui emboîta le pas. Lorsqu'ils parvinrent à destination, une idée germa dans l'esprit du cerbère.

— C'est un travail ardu de veiller sur ces sorcières ?

— Travail ? s'étonna le skapt, surpris qu'on lui adresse la parole, c'est la raison de notre exissstence. Nous louons chaque jour le Grand Faiseur de ce bienfait.

— As-tu déjà rencontré l'une d'entre elles ? demanda-t-il en faisant un pas vers la bulle qui abritait les jumelles.

— Pour quoi faire ?

— Tu n'es pas curieux à cause des légendes qu'on raconte à leur sujet ?

— Des légendes ? Les sorcières ne sont que des outils, s'étonna le reptile, elles n'ont pas votre puissance, ni celle du Grand Faiseur.

La conversation ne prenait pas le tour qu'il avait espéré, aussi changea-t-il d'angle d'attaque.

— Elles sont pourtant utiles, et fascinantes. Aimerais-tu me voir me transformer, ajouta Risk en constatant le peu de réaction de son interlocuteur.

— Oh oui ! s'exclama le skapt.

Risk ferma les yeux, et quelques secondes plus tard, il fixait l'homme serpent avec ses yeux de chien.

— Ils disaient vrai ! s'extasia le garde, prêt à tomber à genoux.

— Me ferais-tu une petite faveur ? lui demanda mentalement Risk en se tournant vers la bulle.

— Avec joie, s'exclama le skapt.

Risk reprit forme humaine, expliqua ce qu'il souhaitait et vit le garde courir pour lui chercher ce qu'il avait demandé. Il plaqua son front contre la paroi. Comme il aurait voulu pouvoir parler à Kara, mais la glace bloquait même ses pouvoirs de télépathe. Il devrait s'en remettre à son skapt messager… et prier pour que Kara accepte de le suivre.

Kelly projeta une sphère d'énergie vers Kara, qui esquiva instinctivement, tout en modelant sa riposte au creux de sa paume.

— Excellent, la reine des glaces n'a aucune chance ! se félicita Kelly.

Kara jeta un œil à Lusse qui avait cessé de s'entraîner des heures auparavant, et se prélassait sur un lit de coussins, le visage tourné vers la porte.

— Qu'est-ce qu'elle attend à ton avis ?

— Ton petit ami. Je me demande ce qu'elle a fait pour avoir des coussins. Encore une preuve qu'elle et ton cerbère sont des invités.

Bien sûr Kelly avait raison, si seulement elle pouvait éviter de le lui répéter sans cesse !

Il y eut alors un bruit.

— Qu'est-ce que c'était ? s'exclama Kara, trop heureuse de changer de sujet.

— On dirait que c'est l'heure de la soupe, supposa Kelly en voyant le panneau coulisser. Tiens, ça c'est nouveau, s'étonna-t-elle en sortant un morceau de papier plié de l'amas de croquettes. Il y a ton nom écrit dessus !

Kara le lui prit des mains tout en sachant pertinemment ce qu'elle pensait. Elle se disait qu'il fallait détruire le papier immédiatement sans le lire, mais elle était incapable de faire ça, cette note venait de Risk, forcément.

Elle s'éloigna en jetant un regard noir à sa sœur et lut les deux mots griffonnés à la hâte. « Perds. Risk. »

— Perdre quoi? répéta Kelly, penchée par-dessus son épaule.

— Je... je n'en sais rien, bégaya Kara, les doigts crispés sur le message; elle s'était attendue à autre chose.

— Alors? demanda Lusse aussitôt que Risk apparut à la porte, est-ce que tu as découvert la source de son pouvoir?

Le cerbère ignora sa question et marcha droit vers la paroi qui donnait sur la bulle occupée par Kara. Elle et sa sœur lui tournaient le dos.

— Je t'ai demandé...

— Non, pas encore! répliqua Risk avec impatience, bientôt, tempéra-t-il.

Il fallait qu'il explique tout à Kara. Son plan pour duper Lusse, la raison de sa présence en ces lieux. Et les sentiments qu'il avait pour elle, si forts qu'il était prêt à sacrifier sa vie contre la certitude qu'elle serait en sécurité.

— Mais encore? insista Lusse en se levant, je commence à me lasser de cet endroit.

Les lumières baissèrent alors brusquement.

— Qu'est-ce que c'est encore que ça, soupira la sorcière.

La cérémonie, songea Risk. Puis il y aurait le combat, et il n'avait pas encore réussi à faire enfiler à Lusse ce maudit bracelet. Il n'avait aucune idée de son pouvoir, mais Jormun avait insisté : cela faciliterait l'asservissement de la sorcière une fois qu'elle aurait remporté l'affrontement; chose dont il était persuadé.

— Tiens, dit Risk en lui tendant l'objet luisant.

— Qu'est-ce que c'est? demanda Lusse en plissant le nez.

— L'objet dont je t'ai parlé. Jormun insiste là-dessus.

— Ça? Il croit vraiment que ça va m'empêcher de tuer ses jumelles?

— C'est simplement la garantie qu'il me révélera bien la source de son pouvoir.

— Vraiment? Tu... tu as senti cette vibration, continua-t-elle en changeant de sujet.

— Est-ce que tu comptes le porter? demanda-t-il avec anxiété, même si lui aussi avait ressenti la même chose.

— Donne-le-moi, je vais y réfléchir, concéda-t-elle en tendant la main avant d'enfouir le bracelet dans sa poche.

Un sifflement bas se fit alors entendre.

— Fascinant, murmura la sorcière en voyant les murs devenir transparents, révélant les skapts, amassés épaule contre épaule, scrutant l'océan profond.

— Mais qu'est-ce qu'ils?... commença Lusse en tournant la tête dans la même direction, avant de laisser échapper un petit cri inarticulé. Je n'aurais jamais imaginé que... j'étais persuadée que ce n'était qu'une légende.

Un serpent monumental glissait le long du tube, si long que Risk n'en distinguait ni la queue ni la tête.

— Tu veux dire que... commença-t-il.

— Oui, c'est Jormun. Il est vraiment le Serpent de Midgard, chuchota Lusse en laissant ses doigts courir sur la paroi. Lorsque son exil a été prononcé, on a dit qu'il serait condamné à hanter les profondeurs sous la forme d'un serpent, mais j'étais loin de me douter... Tu imagines la puissance qu'il doit dégager pour accomplir cette transformation ?

— Est-ce que c'est aussi un forandre ? demanda Risk qui se souvenait du respect mêlé de crainte que lui témoignaient les skapts.

— Je l'ignore, mais quelle différence ? Il possède la puissance de centaines, de milliers de forandres. Et dire que j'étais heureuse de capturer un garm…, ricana Lusse. Dis-moi pour quand est prévu le combat.

— Bientôt… après ça, murmura le cerbère, les yeux rivés sur le serpent géant.

— Bien. Très bien. Voilà qui change beaucoup de choses. Il y a désormais plus en jeu que les deux petites sorcières, murmura Lusse en étreignant un coussin.

Quelle nouvelle folie était-elle encore en train de mijoter ?

Lorsque les lumières revinrent, Kara poussa un soupir de fatigue. Kelly avait insisté pour qu'elles profitent de la cérémonie pour absorber autant d'énergie que possible.

— Je sais que ce n'est pas grand-chose, mais c'est plus que tout ce qu'on a récolté jusqu'ici.

Les skapts s'étaient dispersés. Le serpent étant parti rejoindre sa tanière, Kara glissa au sol pour essayer de dormir un peu.

Ce fut le cliquetis de la trappe à repas qui la réveilla. Elle bondit sur ses pieds et courut à la porte pour prendre sa sœur de vitesse. On glissa un plateau par l'ouverture.

— Encore un petit mot du toutou ? s'enquit Kelly avec une moue désapprobatrice.

— Non.

Il n'y avait sur le plateau que deux fins bracelets,

semblables à ceux qu'avait utilisés le garm et une note signée Jormun :

« Il est temps de vous mettre en piste, mes petites sorcières. Portez ces bracelets, ils vous protégeront ».

— Et puis quoi encore? s'exclama Kelly en la rejoignant. Hors de question! s'écria-t-elle en lui prenant le plateau des mains pour le poser d'autorité sur une étagère voisine.

— Mais peut-être que... — les images de la sorcière à la morgue lui revinrent à la mémoire — peut-être que c'est vrai.

— Tu es bien trop naïve, se désola Kelly.

— Mais si Jormun voulait nous faire du mal, pourquoi ne pas le faire pendant que nous sommes à sa merci?

— Son but n'est pas de nous faire du mal, mais de nous utiliser. Tu m'as dit toi-même que d'après ton ami le cerbère, c'était ce qui était arrivé à..., elle s'interrompit, incapable de prononcer le nom de son amie.

Kara ressentit la douleur de sa sœur, mais quelque chose lui disait qu'elles devaient porter ces bracelets, une certitude irrationnelle. Elle profita donc du fait que Kelly ait le dos tourné pour en glisser un à son poignet. L'objet s'ajusta de lui-même, à peine visible sur sa peau nue.

— Qu'est-ce que tu viens de faire? s'exclama Kelly en lui attrapant le bras.

— On le saura bientôt, répondit Kara sans ciller.

— Bon sang! hurla Kelly en lançant le plateau à travers la pièce.

— Je me sens bien, intervint Kara d'une voix douce.

— Elle se sent bien..., la singea Kelly.

Kara tourna le dos à sa sœur. Elle était venue pour la sauver, mais elle ne faisait qu'empirer la situation.

Kelly ramassa le second bracelet en jurant et le fixa autour de sa cheville.

— Je ne pars pas d'ici sans toi, alors autant qu'il nous arrive les mêmes tuiles.

— Mais..., commença Kara en observant la cheville de sa sœur.

— Je ne fais jamais rien comme personne, expliqua Kelly avec un haussement d'épaules.

Kara lui sourit et acquiesça sans quitter son propre bracelet des yeux. *Pourvu que je ne me sois pas trompée*, pria-t-elle en silence.

Les hommes serpents vinrent les chercher à peine une heure plus tard. Kara n'en fut pas surprise, elle se doutait que ces bracelets devaient servir à quelque chose. Les gardes hochèrent la tête d'un air satisfait en voyant son poignet et la cheville de Kelly.

— Où nous emmène-t-on? demanda Kara.

— Dans le grand hall, annonça un skapt en leur faisant signe de sortir.

Elles constatèrent en arrivant sur les lieux qu'une vaste arène y avait été aménagée et que de la sciure recouvrait désormais le sol de marbre. Jormun se tenait sur une estrade couverte de coussins, Risk à ses côtés.

Kelly lança à sa sœur un regard qui signifiait : je te l'avais bien dit.

Les yeux embués de larmes, Kara se tourna vers l'arène dans laquelle Lusse se trouvait déjà, sa cape blanche agitée par un vent invisible. Comment parvenait-elle à paraître si maîtresse d'elle-même, alors que Kara, malgré la combinaison qui régulait sa température et qui lui nettoyait la peau automatiquement, se sentait sale, comme froissée? Les hommes serpents les guidèrent jusqu'à une barrière d'énergie qui s'effaça devant elles, formant un étroit passage, à peine assez large pour qu'elles s'y engagent de front.

— Et maintenant, on fait quoi? chuchota Kara à sa sœur.

Kelly observa le manège des hommes serpents qui ne cessaient d'affluer dans la pièce tout autour de l'arène.

— Mon Dieu, mais ils sont combien? murmura-t-elle, ébahie.

— Trop, je n'aime pas ça.

Ils devaient être des centaines maintenant, foule compacte et bruissante qui se bousculait vers l'ouverture menant dans l'arène.

— On n'arrivera jamais à se tailler un chemin dans cette masse, hein? demanda Kara à sa sœur dans un chuchotement.

Elle qui souhaitait ne blesser personne...

— Non, on n'y arrivera pas, il faut entrer, pas le choix.

Elles pénétrèrent dans le cercle en se tenant la main. A leur entrée, Jormun se leva et un sifflement énorme emplit l'air.

— Soyez les bienvenues, sorcières, les salua-t-il en levant les mains. Les règles du défi sont simples. Interdiction de porter un coup mortel. En dehors de ça, la dernière debout remporte le combat.

Pas de coup mortel, répéta Kara mentalement. Comment avait-elle pu se fourrer dans une situation où il était nécessaire d'apporter ce genre de précision?

— On se débarrasse d'elle rapidement et proprement, murmura Kelly en lui serrant douloureusement le bras.

Kara observa Lusse qui toisait les skapts avec morgue.

— Tu es certaine qu'elle a l'intention de se battre? demanda soudain Kara.

A peine avait-elle terminé sa phrase que Lusse projetait une sphère d'énergie droit vers elle.

— Couche-toi! hurla Kelly, en tirant sa sœur au sol.

La poussière vola autour d'elles, créant un nuage opaque qui les dissimula temporairement.

— Tu disais? haleta Kelly avec ironie.

— Rien, répondit Kara en toussant.

— Tu es toujours persuadée que ton petit ami est là pour nous sauver? railla Kelly en se rapprochant, voyant que Kara avalait trop de poussière. On peut y arriver, souviens-toi de l'entraînement. Il y a mille fois plus d'énergie ici que dans notre bulle, utilise-la.

Un projectile de flammes bleutées s'écrasa près d'elles. Kelly laissa échapper un juron en poussant Kara qui s'éloigna à quatre pattes, la gorge saturée de poussière, le souffle court. Elle leva le regard vers l'estrade entre deux quintes de toux et vit Risk, le regard vissé sur elle, les poings serrés.

Perds, articula-t-il.

Perds? Mais oui, le mot, c'est ça qu'il avait voulu dire! Il voulait qu'elle perde la bataille contre Lusse, la sorcière qui le tenait sous sa coupe. Ça n'avait aucun sens...

— Kara! s'écria Kelly.

Un flux aveuglant jaillit de la paume de Lusse et vint s'enrouler autour de la cheville de Kelly, la faisant chuter au sol. *Kelly!* Kara se leva précipitamment, oubliant instantanément la trahison de Risk. Elle tendit les bras, ne songea qu'à aspirer l'énergie contenue dans la pièce. Bientôt le pouvoir afflua à la vitesse d'un train fou, la faisant reculer sous l'impact. Elle le sentit vibrer en elle, autour d'elle, altérant ses perceptions. Kelly parvint à se rétablir sur le dos et contra l'assaut de Lusse par une décharge d'énergie équivalente. Les flux se percutèrent. Kara leva les mains et fit naître une troisième source qui vint renforcer la contre-attaque de sa sœur.

Kelly tressaillit en sentant le pouvoir affluer en elle, et Kara vit les yeux de Lusse s'élargir de stupeur lorsque le coup la percuta en plein thorax, la soulevant littéralement de terre. La sorcière blanche se mit à flotter à deux mètres au-dessus du sol. Kelly éclata d'un rire cruel qui mit sa sœur mal à l'aise, lui rappelant l'ivresse qu'avait provoquée chez elle cette puissance.

— Kelly, repose-la, lui demanda-t-elle en s'agenouillant à ses côtés.

Kara voulait remporter ce combat, mais pas si sa sœur devenait folle.

— Kelly, répéta-t-elle d'une voix ferme en cherchant le regard vide de sa sœur. Repose-la !

Kelly se tourna de nouveau vers Lusse comme si de rien n'était et Kara remarqua pour la première fois que cette dernière avait un accroc à sa cape immaculée, qu'une tache ornait sa jupe et qu'une mèche folle collait à son visage rougi par l'effort et par la colère.

— Kelly, insista Kara sans plus de succès.

Elle se résolut à la gifler avec force. Kelly cilla plusieurs fois. Kara en profita pour la saisir par le col de sa combinaison et pour la secouer vivement. Sa jumelle la fixa quelques secondes sans comprendre et baissa les bras, faisant retomber Lusse au sol dans un bruit sourd et un concert de jurons.

— Je l'avais à ma merci, murmura Kelly en jetant des regards en tous sens. Je possédais un pouvoir immense... tu as vu ?

— Tu ne possédais pas le pouvoir, c'est lui qui te possédait, corrigea Kara sans lâcher le col de sa sœur.

— Je le possédais, insista Kelly.

— Non, réfléchis une seconde. Comment te sentais-tu? Avais-tu l'impression de contrôler quoi que ce soit?

Kelly cilla lentement et son regard pétilla de nouveau d'intelligence. Alors seulement elle sembla reconnaître sa jumelle.

— Oh, mon Dieu..., souffla-t-elle.

— Je sais, je sais, soupira Kara, compatissante.

— Non, la sorcière, bouge!

Kelly fit une roulade et une rafale bleutée vint perforer le sol à l'endroit où elle se trouvait une seconde auparavant. Lusse n'était qu'à quelques mètres, bouillonnante de rage, la poussière virevoltant dans les plis furieux de sa cape.

— Ce pouvoir est à moi, pathétiques petites arrivistes! s'écria-t-elle en formant un O de ses mains jointes.

Une nouvelle sphère se forma dans l'ouverture, qu'elle projeta droit sur les deux sœurs.

— C'est quoi ce cirque, marmonna Kelly.

Elle bondit de nouveau, mais cette fois pour s'éloigner de Kara.

— Par ici, Cruella! cria-t-elle à Lusse.

— Stupides petites sorcières! s'esclaffa Lusse avec un sourire satisfait en croisant les bras sur sa poitrine.

Les yeux luisants, elle dressa ses bras en V au-dessus de sa tête et fit jaillir un éclair de chacune de ses mains, visant simultanément les deux jumelles.

— Et zut, lâcha Kara toujours au sol, en bondissant sur le côté.

L'éclair la frôla, consumant la combinaison, et faisant naître une douleur vive à son flanc. Elle roula au sol sous le choc et porta sa main à sa blessure ; elle était rouge de sang. Elle resta là à contempler le liquide carmin. C'était étrange, elle n'avait pas l'impression d'être blessée !

— Kara ! hurla Kelly.

Kara leva les yeux, la main toujours dressée devant elle dans un mouvement réflexe. Lusse s'était approchée et n'avait plus d'yeux que pour elle. Elle leva de nouveau les bras, se préparant à lancer deux nouveaux éclairs, qui lui étaient tous deux réservés, elle en avait la certitude.

Elle resta interdite, fixant la sorcière blanche sans rien faire, incapable d'admettre que tout cela était réellement en train de se produire.

20

Un cri retentit et une rafale de décharges d'énergie vint frapper le sol tout près de Lusse. Kelly, le regard haineux, marchait droit vers la sorcière, agitant les bras au-dessus de sa tête en un ballet mortel, mitraillant littéralement son adversaire.

— Laisse ma sœur tranquille ! hurla-t-elle.

Lusse fit volte-face, une immense sphère crépitante dans chaque main. Elle arma son geste et se prépara à frapper… Kelly.

Quelque chose se débloqua alors dans l'esprit de Kara, qui se tourna vers Risk qui se tenait immobile, le visage fermé. *Aide-moi*, songea-t-elle de toutes ses forces.

La mâchoire serrée, il détourna le regard.

Kara aurait voulu se coucher au sol et ne plus jamais bouger, sangloter jusqu'à ce que ce cauchemar cesse, mais elle savait que seule leur victoire ou leur défaite mettrait un terme à tout cela. Deux éclairs aveuglants jaillirent des mains de Lusse et filèrent avec un sifflement vers Kelly. Kara inspira, releva la tête, avec une seule pensée en tête : sauver sa sœur et se sauver elle-même.

Risk, les muscles presque tétanisés fixait Kara en sang, là en bas dans l'arène, qui lui lançait un regard suppliant. Mais il ne pouvait rien faire au risque de mettre en péril leur évasion. Lorsqu'il se détourna d'elle, il sentit son désespoir monter jusqu'à lui. Non il ne pouvait pas l'aider, il devait laisser Lusse les vaincre. *C'est notre seule chance*, se répéta-t-il comme un mantra. Lorsque ses yeux se posèrent de nouveau sur la jeune femme, elle semblait emplie d'une résolution nouvelle. Elle devait mener ce combat seule et il fallait qu'elle le perde.

Risk sentit une brise lui caresser la nuque, c'était Jormun qui s'était approché.

— Sens-tu cette énergie? se rengorgea-t-il, c'est la puissance unique des jumelles.

Effectivement, une minitornade commençait à arpenter l'arène en soulevant la poussière. Lusse le remarqua elle aussi et avec un juron, elle lança une nouvelle attaque contre Kelly. Le vent surnaturel forcit et siffla, formant bientôt un mur d'énergie et de poussière entre Lusse et Kelly. Au milieu se tenait Kara, à l'origine du phénomène, les bras écartés.

— C'est prodigieux ce qu'elle parvient à faire! s'émerveilla Jormun en applaudissant.

Les éclairs de Lusse ricochaient à présent sur le bouclier invisible dans d'immenses gerbes d'étincelles, avec un crissement strident qui fit tressaillir l'assemblée de skapts.

— C'est fabuleux! s'extasia encore le dieu, que va faire ta sorcière, en réponse à ça?

Les traits déformés par la rage, Lusse entreprit de modeler sa propre tornade, mais Kelly joignit bientôt ses forces à celles de sa sœur. Leur création commune s'élargit jusqu'à acculer Lusse contre le rebord de l'arène. Elles étaient en train de réussir, elles allaient vaincre Lusse!

Risk guetta une réaction, mais la sorcière blanche

faiblissait à vue d'œil. Elle était voûtée et ployait sous la puissance conjuguée des jumelles.

— On dirait que je vais gagner, forandre ! se réjouit Jormun.

Ce n'était pas encore terminé, il lui restait une chance de sauver Kara. Lusse devait gagner d'une façon ou d'une autre, mais il lui était impossible de l'aider directement, il fallait que cela vienne de Kara, il devait la convaincre, lui parler. Mais bon sang il la tenait sa solution ! Il lui suffisait de se transformer ! Il avait refusé de lui faire subir cette épreuve lorsqu'elle le lui avait demandé, mais il n'avait plus le choix désormais. Il ferma les yeux et laissa la magie agir. Babines retroussées, griffes au sol, il se retrouva à quatre pattes, submergé par un afflux de sensations.

— Tu ne peux pas l'aider, forandre, c'est à elle de remporter *son* combat, intervint Jormun.

Ou de le perdre, songea Risk en ouvrant son esprit à Kara.

Elles étaient en train de gagner sans même blesser Lusse ! songea Kara avec étonnement en maintenant avec application la barrière tissée avec l'aide de Kelly. En face d'elles, Lusse perdait pied, son bouclier rapetissant à l'œil nu.

— Kara ! tonna la voix de Risk, la prenant au dépourvu.

— Kara ! cria Kelly en sentant le flux d'énergie vaciller.

La jeune femme refusa ostensiblement de se tourner vers Risk.

— Kara regarde-moi, insista le cerbère.

Encore quelques minutes et elles auraient vaincu Lusse.

— Kara, je t'en supplie, dit encore Risk d'une voix triste et désespérée que Kara ne lui connaissait pas.

Incapable de résister plus longtemps, elle se tourna vers lui et aperçut le chien argenté sur l'estrade. Une vague de terreur passa sur elle, faisant vaciller le disque d'énergie.

— Kara ! concentre-toi, qu'est-ce que tu fabriques ? lui cria sa sœur qui bataillait pour maintenir la cohésion du flux, les traits tirés, la sueur lui coulant sur le front.

Kara se tourna vers sa sœur, incertaine sur la conduite à tenir. Elle lui désigna Risk du regard.

— Non, Kara, ignore-le. Je ne sais pas ce qu'il est en train de te faire, mais oublie-le ; on a presque gagné !

Kara tourna le dos au cerbère qui continua malgré tout à lui parler.

— Tu dois perdre Kara. C'est ta seule chance. Jormun veut garder la plus puissante sorcière à ses côtés. Si vous perdez, vous êtes libres et Lusse restera ici.

N'abandonne pas maintenant, semblait lui dire Kelly en acculant un peu plus la sorcière blanche.

— Kara, fais-moi confiance, insista Risk.

— Encore un effort ! l'encouragea Kelly en haletant sous l'effort qu'elle fournissait pour elles deux.

— Kara..., murmura Risk dans une ultime supplique.

Les yeux pleins de larmes, Kara laissa retomber ses bras. La fluctuation brutale fit perdre l'équilibre à Kelly qui tomba en arrière. Kara resta là, bras ballants, priant pour avoir fait le bon choix.

Lusse s'approcha, incrédule, son regard naviguant de Kara à Risk.

— Bien joué, alpha ! lui lança-t-elle.

— Kara, non…, laissa tomber Kelly, la peine et le sentiment de trahison se lisant sur ses traits.

Dans un silence immense, comme si le monde retenait son souffle, Lusse éclata de rire et marcha droit vers les jumelles, ses paumes se gorgeant d'énergie à chacun de ses pas.

Quelque chose ne collait pas, Kara s'en rendit immédiatement compte. Lusse absorbait trop d'énergie. Peut-être la sorcière blanche, parviendrait-elle pas à expulser cette immense charge, mais ni elle ni sa sœur n'y survivraient, c'était une certitude.

Lusse s'arrêta à quelques pas d'elles, tout son corps pulsant d'énergie.

— Non ! hurla Risk en réalisant aussitôt son erreur.

Lusse n'allait pas respecter le pacte, elle allait porter un coup mortel, et Risk en était le responsable, car il n'avait pas veillé à ce qu'elle porte le bracelet.

Sans réfléchir plus longtemps, il se jeta dans l'arène.

Au même instant un murmure immense naquit derrière le cerbère et l'assistance tomba à genoux. Il l'ignora, son esprit tendu vers un unique objectif : sauver Kara. Il atterrit entre les deux sœurs au moment où Lusse armait son coup fatal, et se jeta sur la trajectoire du projectile magique. Un tourbillon de poussière, de puissance et d'obsessions antagonistes l'enveloppa, sans qu'il quitte des yeux Lusse dont le regard trahissait une folie galopante.

Un nouveau murmure monta dans l'assistance, accompagné d'un sifflement inhumain. Cette fois les skapts basculèrent face contre terre. Lusse leva la tête, les yeux arrondis par l'horreur, avant d'être propulsée dans l'assistance, parmi les skapts agenouillés.

Le silence revint.

Etait-elle morte ? Risk craignait de s'en assurer. C'est alors qu'il sentit la présence immense, sifflante et rampante. Il vit Kara remuer faiblement. Rassuré, il fit volte-face, prêt à en découdre. Un immense serpent vert ondulait vers lui, sa langue bifide goûtant l'air autour des jumelles et du cerbère.

— Du calme, petit forandre, tempéra la voix de Jormun en esprit.

Il dressa son corps reptilien au-dessus de Lusse en annonçant d'un ton mécontent :

— Ta sorcière a triché, elle n'a pas porté le bracelet. C'est dommage, elle va le regretter.

Risk recula jusqu'à sentir Kara proche de lui. Il vit Kelly ramper vers sa sœur pour l'éloigner du cerbère et du serpent.

— Mais elle a gagné, non ? s'enquit Risk.

— En effet, lui confirma mentalement le serpent géant avec amusement. Elle vivra. Bien joué, forandre. Tu peux emmener tes sorcières.

Mes sorcières ! se répéta Risk, incrédule.

— Ne mets pas ma patience à l'épreuve et quitte mon royaume avant que je ne change d'avis, le prévint le serpent en quittant la pièce.

Les hommes reptiles les escortèrent sans ménagement vers le boyau de sortie que Kara avait emprunté en compagnie de Narr. Risk fermait la marche, les sens en alerte, tout en prenant soin d'éviter de croiser son regard.

Lorsqu'ils atteignirent la première membrane, les hommes serpents lui permirent de rejoindre les jumelles.

— C'est quoi, cette histoire, que fait ce monstre avec nous? s'agaça Kelly.

Désorientée elle aussi, Kara ignora sa question. On les laissait partir. Elle ignorait comment mais Risk avait dit vrai, il ne l'avait pas trahie. Ils pouvaient tous partir... sauf Lusse.

— Est-ce qu'elle est morte? demanda-t-elle.

L'homme serpent le plus proche cilla sans répondre.

— Est-ce que Lusse est morte? répéta-t-elle.

— On s'en moque, murmura Kelly.

— Elle est en vie, répondit enfin l'un des skapts en regardant à la fois Risk et Kara, elle est juste inconsciente. Elle a prouvé qu'elle était la plus forte et seules les plus puissssantes sont dignes de servir Jormun.

— Les plus puissantes? railla Kelly.

Un simple grognement de Risk suffit à la faire taire.

— Que lui est-il arrivé? continua Kara.

— Trop de puissance à la fois, expliqua le reptile en manipulant le levier d'ouverture de la porte, elle n'a pas réussi à l'absorber.

— Mais rien ne nous est arrivé à nous? s'étonna Kara en désignant Kelly et Risk.

— Rien ne peut blesser un forandre, clama le garde avec fierté.

— Et nous deux?

— Les bracelets vous ont protégées. L'autre sorcière a eu de la chance. Elle a survécu. Elle est très forte. Elle sera une bonne servante pour Jormun.

Le groupe tout entier acquiesça vivement. L'amie de Kelly, l'autre sorcière avait donc été tuée — sans doute involontairement — par Jormun. Kara observa sa sœur à la dérobée, qui contemplait son bracelet, pensive. Involontairement ou non, quelle différence cela faisait-il ? Elle était bel et bien morte.

La membrane vibra et dévoila le passage vers la liberté. Aussitôt les hommes serpents firent demi-tour, les laissant seuls dans le boyau. Kara sentit quelque chose la pousser en avant. C'était Risk, toujours sous sa forme animale. Elle posa sa main sur sa fourrure et se laissa guider vers le portail. Curieusement, elle ne ressentait aucun malaise à marcher ainsi à ses côtés, la chose lui semblait naturelle. Le passage vers l'Antre était déjà ouvert lorsqu'ils l'atteignirent et Kara le franchit en tenant la main de sa sœur, l'autre posée sur l'encolure du cerbère.

Risk guida les jumelles vers la sortie. Une fois dehors, il inspecta rapidement le bar, prêt à les défendre.

— Je dois dire que je ne m'attendais pas à vous revoir si tôt, annonça le garm, adossé au bar, les bras croisés sur la poitrine, son regard détaillant les trois nouveaux arrivants.

— Allez, on y va, annonça Kelly sans perdre de temps, en attrapant le bras de sa sœur.

Mais Kara refusa de bouger.

— Alors, est-ce qu'elles en valaient la peine ? demanda le gardien à Risk.

Le cerbère acquiesça.

— J'ai été prévenu de votre arrivée et je me suis dit que tu aimerais te changer, l'informa le barman en lui jetant un vieux jean.

Risk n'était pas d'humeur à supporter cet humour.

Il attrapa le vêtement dans sa gueule et s'éloigna de quelques pas afin de se ménager un peu d'intimité avant de reprendre son apparence humaine.

— Quelle horreur ! entendit-il Kelly s'exclamer.

Il décida de ne pas y prêter attention.

Lorsqu'il se retourna, les deux sœurs le dévisageaient. Le garm en profita pour ranger bruyamment quelques bouteilles. Il affronta le regard de la jeune femme. Il était à demi nu, et pénétré d'un sentiment qu'il ignorait avant de la rencontrer. Avant de l'aimer. Il se sentait vulnérable.

Incapable d'articuler le moindre son, il lui tendit la main.

— Certainement pas, intervint Kelly en agrippant sa sœur par l'avant-bras. On ne sait rien de ce qui s'est vraiment passé en bas. On l'a peut-être envoyé pour nous espionner ou pour nous utiliser !

— Il nous a sauvées, rétorqua Kara en dégageant son bras.

— Où est-ce que tu es allée pêcher ça ? On avait Lusse à notre merci et il a fait... un truc qui a rompu notre concentration. C'est à cause de lui qu'on a perdu.

— Précisément, répondit Kara sans quitter Risk des yeux. Tu ne comprends donc toujours pas ? Si nous avions gagné, Jormun ne nous aurait jamais laissé partir. Risk m'a convaincue de perdre le combat. Lusse s'est avérée être la plus forte et nous nous sommes échappées.

— Il t'a convaincue de perdre ? Et comment ? Juste en t'envoyant un petit mot ?

— Non, sourit Kara. Le mot aurait dû suffire pourtant. Je suis désolée, s'excusa-t-elle en s'avançant vers Risk, j'aurais dû te faire confiance.

Le cerbère se sentit plus léger.

— Kara, non ! intervint de nouveau Kelly.

La jeune femme fit signe à sa jumelle de se taire et vint se lover entre les bras de Risk qui enfouit son visage dans sa chevelure, inspirant son odeur, s'imprégnant de l'amour qu'elle avait pour lui.

— Tu es donc prête à accepter…, commença-t-il.

— Tout, l'interrompit-elle, les yeux brillants de larmes, je veux tout de toi. Et toi, es-tu prêt à me pardonner de t'avoir repoussé comme je l'ai fait ? De m'être montrée aussi… bornée ?

Il éclata de rire, évacuant aussitôt toutes les tensions et les peurs accumulées.

— J'oublie et je pardonne tout si tu es prête à me prendre tel que je suis et à oublier mon passé.

Il se baissa pour l'embrasser et elle joignit ses lèvres aux siennes. Le cerbère enfouit sa main dans la chevelure de la sorcière, oubliant l'antre, le gardien et les problèmes qui restaient à résoudre.

Enfin Kara posa ses doigts sur la chaîne en argent qui enserrait le cou du cerbère.

— Et que fait-on pour ça ? lui demanda-t-elle avec inquiétude.

— Je n'en sais rien. Je demeure lié à Lusse. L'éloignement n'y change rien.

— Peut-on briser cette servitude ? Tu m'as dit que c'était possible.

Risk se tourna vers Kelly qui semblait toujours méfiante.

— Ça n'a pas d'importance. Jormun ne libérera jamais Lusse, et tant qu'elle demeurera sa prisonnière, même lié à elle, je serai hors de portée.

— Ce n'est pas suffisant, contra Kara en faisant un

pas en arrière. Nous allons te libérer, annonça-t-elle en dévisageant sa sœur.

— Ne compte pas sur moi! répliqua Kelly. Je ne suis toujours pas convaincue qu'il fait partie des gentils. On ignore ce qu'il fera si on le libère. Tout ça fait certainement partie de son plan.

— Kelly… nous allons le libérer, ordonna Kara d'un ton qui ne souffrait aucune réplique.

— Non, je refuse, maintint Kelly. Crois-moi, je t'assure que c'est la meilleure chose à faire.

— Ouais, sois une bonne petite sorcière, s'esclaffa le garm et écoute ta sœur, celle qui est si douée pour se faire capturer à tout bout de champ.

— Reste en dehors de ça, toi, tu ne perds rien pour attendre!

— J'ai hâte de voir ça, railla le barman.

Aucune de deux sœurs ne semblait vouloir céder, aussi Risk se tourna-t-il vers le garm.

— Est-ce que Sigurd a tenu parole?

— Oui, je ne l'ai pas revu.

Risk acquiesça.

— Tu crois qu'elles peuvent rester comme ça combien de temps? demanda le garm.

— Difficile à dire, répondit Risk avec un hochement d'épaules.

— Je parie sur la plus tordue, annonça le garm en sortant une bouteille et deux verres de sous le bar.

Risk avala le whisky qui lui brûla agréablement la gorge tandis qu'ils observaient le combat silencieux, aucune des deux sœurs ne semblant décidée à céder.

— Ton fils s'est échappé, au fait, lui confia le barman.

— Venge?

— Yep, Sigurd l'a relâché le jour même où tu es parti. Il a aussi libéré les autres cerbères. La nouvelle a fait grand bruit jusqu'aux confins des neuf mondes. On n'est plus habitués à voir les cerbères courir librement, ça pourrait faire du grabuge.

— Et tu sais où il est allé, je veux dire mon fils ?

— Aucune idée.

L'important, c'était qu'il ait une chance de refaire sa vie. Lui-même n'avait pas eu ce privilège jusqu'à ce jour. Risk n'en demandait pas plus.

— Nous allons le faire, déclara enfin Kara en traînant sa sœur par le poignet.

— On en apprend tous les jours, dit le garm étonné, en levant son verre de façon comique à l'intention de Risk.

Le cerbère passa son bras sur les hanches de Kara, la serra contre lui et l'embrassa sous l'œil noir de Kelly. Oui, on en apprenait tous les jours, et avec Kara à ses côtés, il sentait qu'il irait de surprises en émerveillements.

— Je maintiens que ce n'était pas mon…, commença Kelly en s'avançant à contrecœur, aussitôt interrompue par sa sœur.

— Fais-le, c'est tout.

Kara prit la chaîne d'argent autour du cou de Risk à pleine main, bientôt imitée par sa sœur. Leurs doigts se mêlèrent autour du bijou et elles se prirent la main, formant un cercle fermé.

Risk n'osa pas bouger.

L'air se mit à vibrer sous le déploiement d'énergie. Les jumelles, les yeux clos, se concentraient sur leur tâche. Le métal autour de son cou atteignit bientôt une température telle qu'il se demanda comment elles parvenaient à le supporter. Soudain la chaleur disparut et elles relâchèrent leur étreinte. La chaîne était toujours en place.

— Alors ? demanda Kara.

— Je te l'ai dit, ça n'est pas grave, je pourrais...

— C'est fait, coupa Kelly en levant les yeux au ciel.

Elle fit mine d'arracher un collier imaginaire de son cou et lança d'un ton exaspéré :

— On t'a laissé le plaisir de finir le travail.

— Allez vas-y, l'encouragea Kara, le regard brillant d'émotion.

Sans quitter des yeux la femme de sa vie, il agrippa le bijou ancien à deux mains. Il inspira profondément et tira.

Le métal se rompit.

Il demeura longtemps immobile, tenant au creux de sa main le symbole de sa servitude, qu'il laissa finalement glisser au sol.

— Nous avons réussi, murmura Kara en lui prenant le bras.

— Tu as réussi, corrigea-t-il dans un souffle.

— Tu crois qu'on pourrait en tirer un bon prix ? s'interrogea Kelly en ramassant la chaîne.

— Garde-la comme souvenir, répondit Risk sans quitter Kara du regard, moi j'ai tout ce dont je peux rêver.

Il prit la jeune sorcière dans ses bras et tous deux disparurent dans un scintillement.

NOCTURNE

Si « L'heure du loup » vous a séduite. laissez-vous envoûter par le 2e titre de la collection Nocturne : « Les amants du crépuscule », également en vente le 1er mai.

Jamais Ivan Drake n'a rencontré de sorcière plus désirable que Dez Merovitch. Secrète et sensuelle, fragile et forte à la fois, elle semble lui être destinée. Mais avant de songer à la séduire, il a une mission à accomplir : dérober le grimoire dont elle est la gardienne. C'est à ce prix et à ce prix seulement que le diable, son maître, lui rendra son âme...
Alors, pour tromper la vigilance de Dez, Ivan use de ses extraordinaires pouvoirs et fait tomber un à un tous les sorts dont elle s'entoure. Mais il ne se doute pas un instant qu'en détruisant ses barrières, il fait le jeu de son rival le plus impitoyable : le diable lui-même, qui s'est lui aussi juré de faire sienne la belle sorcière...

Les amants du crépuscule, de Michele Hauf

NOCTURNE n° 10

NOCTURNE

Votre prochain rendez-vous le 1er juin

LE SECRET D'IRINA, **de Lisa Childs - n° 11**

Ivre de colère et de douleur, Irina tente en vain de fermer son esprit aux voix qui la hantent. Car telle est sa malédiction : le pouvoir d'entendre les cris des femmes de sa famille, suppliciées, traquées par le dément qui a lancé contre elles une nouvelle chasse aux sorcières et cherche à l'attraper elle aussi à présent.
Pourtant, parmi toutes ces voix, Irina perçoit depuis peu celle d'un homme dont les pensées, rassurantes, envahissent doucement son esprit et lui apportent un espoir de salut. Mais qui est donc cet inconnu qui la recherche ? Peut-elle se fier à lui ou fait-il partie d'un nouveau plan pour la prendre au piège ?

LE RENDEZ-VOUS DE MINUIT, **de Bonnie Vanak - n° 12**

En retrouvant Jamie, la femme qu'il traque depuis des jours dans les rues de La Nouvelle Orléans, Damian est submergé par une vague de soulagement mêlé de désir. Enfin, il va pouvoir lui révéler qu'elle est son âme sœur et qu'en dépit de leurs différences, ils sont voués l'un à l'autre, lui le loup solitaire et elle l'humaine fragile, si belle, si émouvante…
Mais avant de la séduire, il doit d'abord gagner sa confiance et éteindre la lueur de haine qui brille dans son regard. Car Jamie pense que c'est lui, sous sa forme de loup, qui a assassiné son frère qu'elle adorait. Et s'il ne se disculpe pas au plus vite, elle ne tardera pas à laisser éclater sa soif de vengeance…

A paraître le 1er mai

Best-Sellers n° 420 • suspense

La nuit du solstice - Carla Neggers

Venue sur la péninsule irlandaise de Berea pour retrouver les traces de l'ancien mythe celtique de l'Ange de pierre, Keira Sullivan se retrouve prise au piège dans une hutte en ruines, dont l'effondrement soudain a bien failli la tuer. Or, quelques secondes avant d'être ensevelie sous les décombres, Keira a cru voir la statue de l'Ange de pierre de la légende. Pourtant, lorsque Simon Cahill, agent du FBI, vient la libérer quelques heures plus tard, il ne reste aucune trace de la statuette. Keira l'a-t-elle rêvée ? Elle en doute. D'autant plus Patsy, qui lui a transmis le conte de l'Ange de pierre, se fait assassiner…

Best-Sellers n°421 • paranormal

La rose des ténèbres - Gena Showalter

La somptueuse Anya, déesse de l'anarchie, est prisonnière depuis toujours d'une terrible malédiction qui peut à tout instant la priver de sa liberté si elle succombe à l'amour. Mais comment pourrait-elle, malgré la menace qui pèse sur elle, résister au charme sombre de Lucien, un guerrier immortel prince des seigneurs de l'ombre ? Pour lui, elle est prête à tout, y compris à défier Cronos, le roi des dieux, qui enrage chaque jour un peu plus de la voir se laisser aller à la passion tout en dédaignant les ordres qu'il lui donne. Pire encore, elle le soupçonne d'avoir donné à Lucien l'ordre de la tuer.

Trilogie **Les seigneurs de l'ombre,** *volume n°*2

Best-Sellers n°422 • suspense

Le dernier mensonge - Laura Caldwell

Peu de temps après sa rencontre avec Michael Waller, Kate Greenwood accepte sans hésiter de l'épouser. Mais à peine installée à Saint-Marabel, au Québec, Kate découvre des détails étranges concernant la vie de Michael et se sent peu à peu gagnée par le doute. Et si l'homme à qui elle avait spontanément accordé sa confiance lui avait menti sur ce qu'il était en réalité ? Rongée par les soupçons qui l'assaillent jour après jour, Kate se retrouve en train d'enquêter sur son propre mari.

Best-Sellers n°423 • thriller

Piège de brume - Anne Stuart

En s'installant à Silver Falls, Rachel Middleton est persuadée d'avoir enfin trouvé un havre de paix. Elle vient d'épouser l'homme idéal, David, qui est aussi le père adoptif rêvé pour Sophie, sa fille de treize ans. Mais quand peu de temps après son arrivée, la petite ville endormie devient la proie d'un tueur machiavélique, Rachel panique. D'autant plus que Caleb, le frère de son mari, un dangereux et séduisant aventurier, fait brutalement irruption dans leur vie bien rangée en prétendant vouloir mettre fin aux crimes en série. Dès lors, Rachel n'a plus qu'une idée en tête : protéger sa fille.

Best-Sellers n°424 • roman

L'aube des promesses - Sherryl Woods

Anéanti par le décès brutal de sa jeune épouse, Kevin O'Brien revient s'installer à Chesapeake Shores : au sein d'une famille soudée, il cherche un refuge pour lui et pour Davy, son petit garçon de deux ans. Comment être à la hauteur avec ce petit être au regard pétillant ? Comment envisager l'avenir ? Ce n'est que le jour où il fait la connaissance de la nouvelle libraire de Main Street, Shanna Carlyle, que Kevin sent enfin l'espoir renaître en lui. Et alors qu'il pensait ne plus jamais être capable d'aimer, Shanna, si spontanée et passionnée, le trouble profondément. Mais a-t-il droit à cette seconde chance d'être heureux ?

Trilogie Chesapeake Shores, *volume n° 3*

Best-Sellers n°425 • roman

Au fil des jours à Blossom Street - Debbie Macomber

Depuis qu'elle y a ouvert sa boutique « Au fil des jours », il règne à Blossom Street l'atmosphère gaie et chaleureuse que Lydia a le don de créer autour d'elle. Car Blossom Street, c'est tout un univers. L'univers de Lydia, qui a renoué avec le bonheur grâce à l'amour de Brad, et la complicité retrouvée avec sa sœur Margaret. Jusqu'au jour où l'ex-femme de Brad réapparaît… Celui de Courtney, la jeune déracinée, complexée et solitaire, venue y trouver refuge et amitié. Celui de Bethanne, qui a perdu ses repères depuis son divorce. Mais aussi celui d'Elise, que le retour inattendu de son ex-mari déstabilise…

Série Blossom Street, *volume n°2*

Best-Sellers n°426 • historique

Les amants rebelles - Susan Wiggs

Orpheline recueillie par lord Merrifield, un idéaliste qui a rallié le camp des Puritains contre Marie la catholique, Alouette a grandi dans un foyer austère mais protégé. Hélas, Merrifield étant à l'agonie, elle se retrouve seule face aux ennemis de ce dernier et subit, dès lors, les persécutions que lui infligent les partisans de la Couronne. Démunie, elle se résout à demander le soutien du seul homme puissant qu'elle connaisse et qui ose tenir tête à la reine : Oliver de Lacey, baron de Wimberley. Un choix dangereux, car en s'alliant à ce séducteur, ce rebelle sans foi ni loi, Alouette met en péril non seulement sa vie, mais aussi sa vertu…

Trilogie La Rose des Tudor, *volume n°2*

Composé et édité par les
éditions Harlequin
Achevé d'imprimer en avril 2010

à Saint-Amand-Montrond (Cher)
Dépôt légal : mai 2010
N° d'imprimeur : 100093 — N° d'éditeur : 14941

Imprimé en France